P9-AQA-851

Les Gnomes

« A mon grand étonnement, j'ai appris que certaines personnes n'ont jamais vu de gnomes. Je ne puis m'empêcher de les plaindre, car je suis certain que leur vue est déficiente. »

Axel Munthe

texte de

Wil Huygen

traduit du néerlandais par *Maddy Buysse*

illustré par

Rien Poortvliet

Édition originale publiée sous le titre *Leven en werken
van de Kabouter*, texte de Wil Huygen,
illustrations de Rien Poortvliet.
© 1976 Unieboek B.V., Van Holkema & Warendorf, Bussum, Pays-Bas.

© Éditions Albin Michel, 1979, 22, rue Huyghens, 75014 Paris.
Composition : Gibert-Clarey à Tours.
Numéro d'édition : 10 373.
Dépôt légal : septembre 1988
ISBN : 2-226-00826-8.

Les Gnomes

Albin Michel

Introduction

NOUS avons consacré vingt années d'études aux gnomes et jugeons le moment venu de publier le récit de nos observations et de nos expériences ; cela, bien entendu, après avoir obtenu l'autorisation d'un conseil plénipotentiaire de gnomes qui, à vrai dire, a mis cinq ans à se décider. Nous estimons que ce livre comble une lacune car le gros traité *De Hominibus Parvissimis* (Du plus petit des hommes), de Wilhelm J. Wunderlich, qui contient quantité de détails intéressants, date de 1580. Hélas, cet auteur confond si souvent les gnomes avec les lutins et d'autres personnages douteux des contes de fées, qu'on ne peut guère se fier à son ouvrage.

D'autre part, beaucoup se souviennent qu'en 1936 le cadavre de Ian Holecek fut repêché dans un lac tchèque. Ce jeune chercheur de grand avenir avait reçu de son gouvernement l'ordre d'étudier la vie des gnomes. Sa veuve nous a confié ses notes, mais elles contiennent tellement d'erreurs que nous avons préféré les lui renvoyer.

Les gnomes sont des travailleurs nocturnes, qui œuvrent dans les bois et parfois dans les demeures des hommes. Non sans raison, on les appelait autrefois Kobold, terme dérivé de *Kuba-Walda* qui, dans la langue des anciens Germains, signifiait « chef » ou « esprit de la maison ». A la campagne, ces esprits vivent d'habitude sous les combles des étables d'où, s'ils sont bien traités, ils veillent sur la ferme et le bétail. Leur nom signifie aussi qu'ils rangent tout ce qui traîne et exécutent de menus travaux, vêtus ou non d'un sarrau.

Quoi qu'il en soit, en Europe, en Russie et en Sibérie, le gnome a toujours fait partie de la société. Il apparaissait régulièrement dans tous les milieux, distribuant récompenses et châtiments : chacun était puni, tourmenté ou aidé selon ses mérites. C'était au temps où les eaux étaient encore limpides et vierges les forêts. Au milieu de paysages silencieux, les routes menaient d'une ville à l'autre et, de là, vers des régions inexplorées, de l'autre côté de l'horizon ; on ne voyait alors dans le ciel rien que les oiseaux et les étoiles.

Depuis, les gnomes ont été chassés des abris souterrains et des autres lieux où ils se dérobaient

à notre vue, si bien qu'on croit de moins en moins
à leur existence. Mais, à moins de faire très attention,
découvre-t-on le lièvre qui se cache dans la prairie
et, si l'on ne reste tout à fait immobile, aperçoit-on
dans les bois le chevreuil, la biche ou le sanglier ?
Il en est de même pour les gnomes : ils sont là,
mais nous ne les voyons pas ! Maintenant que,
de manière encore hésitante, nous essayons de sauver
les trésors naturels qui peuvent l'être encore,
il faut espérer que les gnomes jouiront d'une plus
grande liberté de mouvement. Des gens, de plus
en plus nombreux, se découvrent une mère longtemps
négligée mais pleine d'indulgence, de patience
et de sagesse, la Nature. Sans aucun doute,
ceux-là rencontreront des gnomes. Nous leur dédions
ce livre afin qu'ils profitent de ce privilège et ne les
offensent pas, car ces créatures sont susceptibles.

Comme les gnomes sont aussi d'un naturel
extrêmement réservé et n'aiment pas être interrogés,
notre étude comporte fatalement des lacunes et
des imperfections. D'avance, nous remercions
les lecteurs qui voudront bien nous aider
à la compléter. Dans nos prochaines éditions,
nous citerons leurs noms ainsi que leurs sources.

Bien que ce livre soit principalement consacré
aux *gnomes des bois,* les autres espèces n'en sont pas
exclues. Le gnome étant une créature de la pénombre
et de la nuit, il a fallu procéder à nos investigations
dans une obscurité presque absolue.

Si les illustrations de ce livre étaient fidèles,
elles seraient toutes bleues ou grises. Mais,
pour donner une idée exacte de la vie des gnomes,
nous avons préféré les représenter comme s'ils étaient
vus à la lumière du jour.

R EVENONS en arrière, remontons à l'an 1200 après Jésus-Christ, époque où un Suédois, Frederik Ugarph, trouva dans une cabane de pêcheurs à Nidaros (aujourd'hui Trondheim en Norvège) une statuette de bois intacte, polychromée, d'une hauteur de 15 cm, socle non compris. Sur celui-ci, une inscription était gravée :

NISSE
Riktig Storrelse

ce qui signifie : Gnome, grandeur nature.

La statuette appartenait à cette famille de pêcheurs depuis des temps immémoriaux. Mais, après des journées entières de marchandage, Ugarph parvint à l'acheter. Elle figure aujourd'hui dans la collection particulière de la famille Oliv à Uppsala. Un examen radioscopique a révélé que cette figure date de plus de deux mille ans. Elle fut sans doute taillée dans les racines d'un arbre inconnu ; le bois en est particulièrement dur ; les lettres ne furent gravées que plusieurs siècles plus tard. Cette découverte confirme l'origine scandinave dont les gnomes aiment se vanter. On ne les voit apparaître dans les plaines qu'après la Grande Migration de 395 après J.-C., probablement peu de temps après 449, année où la Grande-Bretagne fut occupée par les Anglo-Saxons et les habitants du Jutland. Ces peuples, venus de l'embouchure de l'Elbe, attaquèrent par terre et par mer les terres basses qui formaient alors l'Angleterre. Publius Octavus, sergent retraité des légions romaines, habitait à l'époque une villa avec ferme attenante, située non loin de Lugdunum (Leyde, aux Pays-Bas). Ayant épousé une femme de la région il n'était pas retourné à Rome. Par chance, ses biens échappèrent aux saccages des Barbares. Voici sa description, datée de l'an 470 après J.-C. :

« Hodie oculis meis ipsis homunculum vidi. Pileum rubrum et tunicam caeruleam gessit. Habuit barbam albam et bracas viridas. Dixit annos vix XX habitare in partibus meis. Verba nostra fecit mixta cum verbis extraneis... »

la statuette d'Uppsala

« Aujourd'hui j'ai vu de mes yeux un homme en miniature. Il portait un bonnet rouge et une chemise bleue. Il avait une barbe blanche et un pantalon vert. Il m'a dit qu'il habitait notre région depuis une vingtaine d'années seulement. Il parlait notre langue, mêlée de mots étrangers... Depuis lors, je lui ai parlé plusieurs fois. Il m'a dit qu'il descendait de la race des Kuwald, mot qui m'est inconnu, et m'a affirmé qu'elle était peu nombreuse ici-bas. Sa boisson favorite est le lait. A plusieurs reprises, je l'ai vu guérir en deux jours le bétail malade. »

A l'époque chaotique qui se prolongea jusqu'en 500, au cours de laquelle Odoacre, roi des Ostrogoths, détrôna le dernier souverain de l'Empire romain occidental (476), les gnomes se sont probablement répandus en Europe, en Russie et en Sibérie, où ils s'établirent et s'embourgeoisèrent. Mais nous manquons de données exactes à ce sujet, car les gnomes n'attachent aucune importance à l'Histoire. C'est du moins ce qu'ils prétendent, mais il est probable qu'ils ont jalousement gardé pour eux certains récits qui retracent leur passé.

W. J. Wunderlich, déjà cité, nous dit que, de son temps, les gnomes vivaient depuis plus de mille ans au sein d'une société parfaitement égalitaire. Il n'y avait ni riches ni pauvres, ni maîtres ni subalternes, à l'exception d'un roi de leur choix. Sans doute est-ce pour cette raison qu'ils ont profité de la Grande Migration pour repartir ailleurs de zéro. Jusque-là, son récit est vraisemblable. Puis il nous décrit le palais royal des gnomes, et les mines d'or contiguës. Et, lorsqu'il ajoute que des esclaves y exécutaient des travaux *forcés*, son récit perd toute vraisemblance.

Selon nos propres sources (peu abondantes), il est possible d'établir que les gnomes eurent des contacts de plus en plus fréquents avec les gens de leur entourage et que, cinquante ou cent ans avant Charlemagne (768-814), ils s'intégrèrent à notre société.

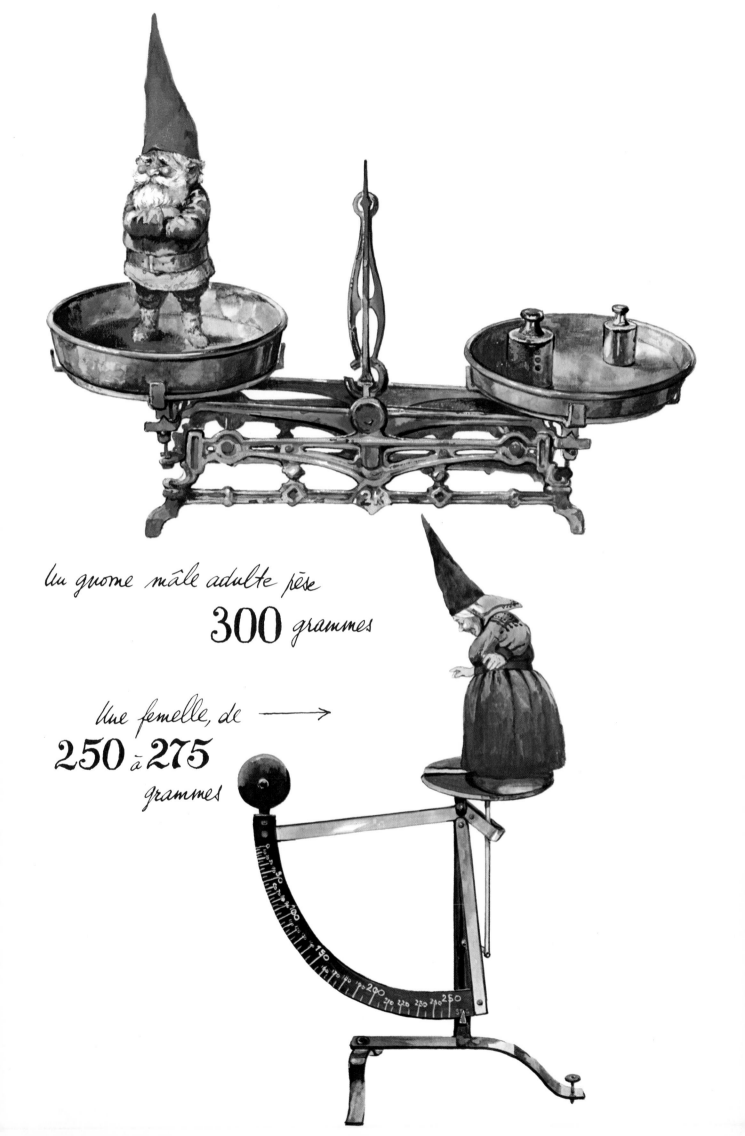

Un gnome mâle adulte pèse
300 grammes

Une femelle, de ⟶
250 à **275**
grammes

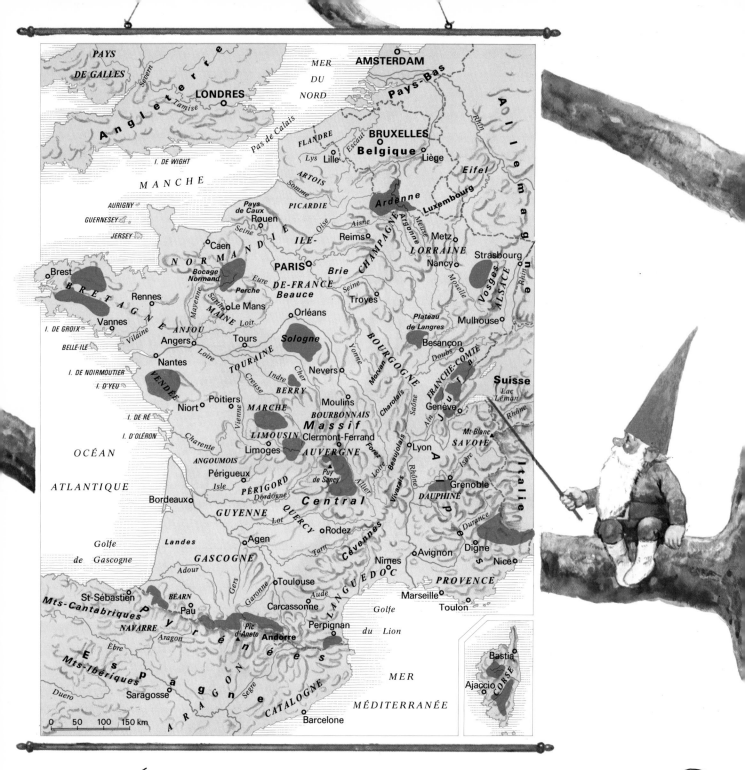

Répartition des Gnomes

La plus forte concentration de *gnomes des bois* se trouve dans les Ardennes, en Bretagne et en Normandie, en Sologne, en Auvergne, dans les Alpes et dans le Sud-Ouest, avec un maximum de 15 habitants pour 100 hectares.

Dans les plaines : des *gnomes de fermes* et de *moulins,* en nombre limité.

Dans les villes : des *gnomes de maisons* et de *jardins,* assez répandus.

Le long des côtes : presque exclusivement des *gnomes de dunes.*

Répartition géographique en Europe

Frontière occidentale : côte de la mer d'Irlande.
Frontière orientale : fin fond de la Sibérie.
Frontière septentrionale : nord de la Norvège, Suède, Finlande, Russie et Sibérie.
Frontière méridionale : ligne suivant la côte belge, la côte française, les Pyrénées, l'Italie et les Balkans jusqu'au nord de la mer Noire, du Caucase et de la Sibérie. La brièveté des jours et la longueur des hivers dans les pays situés au nord de cette ligne expliquent leur présence.

Dénomination des gnomes en divers pays

Pays-Bas : Kabouter	Pologne : Gnom
Irlande : Imp, Goblin	Finlande : Tonttu
Belgique : Gnome, Kabouter	Russie : Domovoi Djédoesjka
Allemagne : Heinzelmännchen	Serbie : Kippec (Patuljall)
Norvège : Tomte ou Nisse	Bulgarie : Djudjè
Suède : Tomtebisse ou Nisse	Yougoslavie : Patuljak
Danemark : Nisse	Tchécoslovaquie : Skritek
Italie : Gnomo	Hongrie : Manó

GNOME
DES BOIS
275 ans

_____

dans la force
de l'âge

taille réelle
(sans bonnet pointu)

15 cm.

fronce légèrement
les sourcils
parce qu'il
pose
en plein
jour

Ceinturon
avec sac à
outils

Ses pieds légèrement rentrés lui permettent
d'avancer à toute allure (dans les hautes graminées, etc.)

Costume de tous les jours,
en teintes de camouflage

GNOME FEMELLE AGÉE 346 ans

(au-delà de 350 ans, il lui pousse, à elle aussi, une barbe légère)

Aspect Physique

Il y a des gnomes mâles et femelles. Dans la vie quotidienne, on ne rencontre presque toujours que des mâles, car les femelles se risquent rarement hors de chez elles.

LE MÂLE

porte un bonnet pointu, de couleur rouge. Sa longue barbe blanchit bien avant ses cheveux.

Il est vêtu d'un sarrau bleu à col Byron ou décolleté en caftan, presque toujours caché par sa barbe,

Autour de la taille

un ceinturon de cuir avec sac à outils, où il glisse couteau, petit marteau, forets, limes, etc.

d'un pantalon vert pris

dans des

La charmante devinette de l'opéra *Hänsel und Gretel* :

Immobile et silencieux, un petit homme se tient dans la forêt.
Il est vêtu d'un sarrau de pourpre éclatante.
Dites-moi, quel est ce petit homme qui se tient sur une seule jambe ?

n'a *rien* à voir avec les gnomes ; il s'agit d'un champignon, probablement la fausse oronge ou tue-mouche. L'erreur vient sans doute d'une croyance populaire non confirmée d'après laquelle les gnomes pourraient, en cas de danger, se changer en champignons.

bottes de feutre

ou il porte des chaussures en écorce de bouleau

ou des sabots

selon la région qu'il habite.

Leur teint est pareil à celui des hommes avec des joues de pomme d'api, surtout à partir d'un certain âge.

Leur nez est droit ou légèrement retroussé. Leurs yeux sont presque toujours gris, avec quelques variétés de brun, par suite de leurs croisements avec des Trolls.

Autour des yeux ils ont plein de pattes d'oie et de rides rieuses, ce qui ne les empêche pas d'avoir soudain un regard

grave et pénétrant.

C'est que, sans beaucoup s'intéresser à l'enveloppe corporelle des gens qu'ils rencontrent, les gnomes sondent le vrai "moi" et examinent le paysage qui, dans ces profondeurs, se déroule sous leurs yeux sans aucun secret pour eux.

Bonjour, au revoir et bonne nuit

se disent-ils en se frottant le nez l'un contre l'autre.

On prétend que c'est afin de mieux se regarder dans les yeux, mais ce n'est probablement pas le cas. C'est un simple geste affectueux, car les gnomes n'ont pas de secrets l'un pour l'autre. D'ailleurs, lorsqu'un gnome regarde quelqu'un ou quelque chose de loin, il sait déjà depuis longtemps ce qui se passe à l'intérieur.

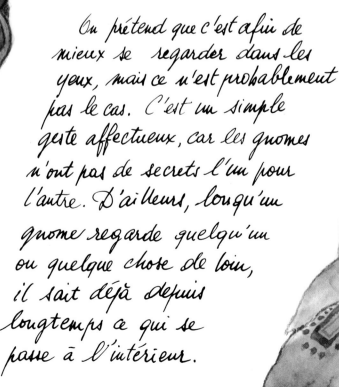

La couleur voyante de leurs costumes les
protège des oiseaux de proie dans la pénombre
et la nuit. Ces oiseaux sont des amis et,
s'ils s'élancent en plein vol, prenant le gnome pour une grosse souris,
ils s'arrêtent à temps en reconnaissant son bonnet rouge.

Ce qui prouve que les oiseaux <u>distinguent</u> les couleurs, chose jusqu'à ce
jour mise en doute par les ornithologues.

D'autre part, ces couleurs vives
sont un danger lorsque le gnome
rencontre ses ennemis naturels :
← le **Putois**, la martre, l'hermine,
<u>le chat</u>, la vipère et le
frelon !

Une chouette →

Le gnome, quant à lui, ne s'en soucie pas, car il est beaucoup plus intelligent qu'eux.

En outre, il se propulse avec une telle rapidité – quand il le veut – qu'il les dépasse tous à la course, sauf peut-être le frelon !

Comme celui-ci ne vole qu'entre le lever et le coucher du soleil, le gnome, toujours caché à ce moment-là, ne risque rien. Si une tâche ou une mission doit être exécutée en plein jour, il s'enduit de sève de *Nux vomica*, qui, même en petite quantité, provoque chez le frelon de si fortes nausées que celui-ci en perd toute envie de piquer.

LES EMPREINTES

Les *empreintes* que le gnome laisse derrière lui sont typiques, mais il s'agit de les trouver ! Car il se sert habilement de cailloux, de terre durcie et d'aiguilles de pin pour effacer toute trace. Parfois, il tourne en rond puis revient sur ses pas ou poursuit sa route à travers bois. S'il s'aperçoit qu'il est suivi, il cherche un passage souterrain et y disparaît aussitôt.

Ses bottes, dont la semelle est marquée en relief de *pattes d'oiseau*, l'aident à induire en erreur les poursuivants. Pourtant, il arrive que sa vanité le trahisse ; si tu vois sur le sol une feuille de hêtre portant en son milieu une goutte de salive, c'est qu'un gnome, passant par là, a craché à distance en plein dans le mille, afin de prouver sa virtuosité.

Le costume décrit plus haut se porte hiver comme été sans pardessus, car les gnomes mâles sont endurcis contre les intempéries. Tout au plus quand il gèle à pierre fendre, on soupçonne qu'ils ajoutent un **gilet de flanelle** ou un **caleçon long.**

LA FEMELLE

est entièrement vêtue de gris ou de kaki terne.

Jusqu'à son mariage elle porte un
← bonnet vert, d'où sortent ses tresses

Ensuite, elle se cache les cheveux sous
une espèce de fichu surmonté
d'un sombre bonnet pointu. →

Fillette
de
96 ans
(intimidée!)

femme
de
316 ans

← Bien qu'elle ait de gros seins, la
diminution de la pesanteur permet à la femelle
de se passer de soutien-gorge toute
sa vie sans aucun inconvénient.

blouse

jupe
jusqu'aux
chevilles

bas gris jusqu'aux genoux

et bottines ou
pantoufles

Cette couleur grise à elle seule incite la femelle à rester chez elle, car les hiboux s'y trompent facilement et la prennent pour une souris ; parfois, elle est vilainement blessée avant que l'oiseau s'aperçoive de son erreur.

En revanche, lorsque la femelle se trouve dans le champ visuel d'un être humain, celui-ci a toutes les peines du monde à la distinguer car elle se confond avec le décor, à l'exemple du caméléon. Et, si on parvient à l'attraper, elle fait le mort.

Le Bonnet

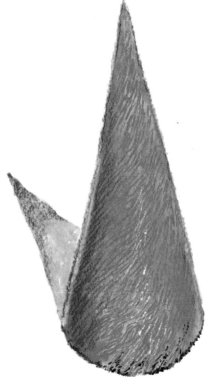

Il mérite un chapitre spécial. Taillé dans du feutre (poils ou laine longuement martelés), il est raide jusqu'à la pointe. Le gnome ne l'enlève que pour se coucher, dans l'obscurité de son alcôve et sans doute aussi pour se baigner, bien que nous n'ayons pu le vérifier. Même dans ce cas, il s'empresse de le remettre, car un gnome sans bonnet n'est plus un gnome, et il le sait.

Certains socio-biologistes attribuent au bonnet des gnomes le pouvoir de les rendre invisibles, mais ce n'est pas là sa fonction principale. Le bonnet est avant tout une protection indispensable contre la chute des branches, des glands, des grêlons et les griffes des rapaces. De même qu'un lézard renoncera à sa queue pour échapper à un danger, il peut arriver que le gnome abandonne son bonnet à un chat.

En tant qu'individu, le gnome se sent aussi caractérisé par son bonnet que, par exemple, par la forme de son nez. Dès le début de leur existence, les enfants des gnomes sont dotés d'un bonnet et ils le gardent toute leur vie. L'élargissement nécessaire est produit par l'usure intérieure et l'application soigneuse d'une nouvelle bande de feutre à l'extérieur, opération qu'on renouvelle chaque année sur un moule en forme de tête.

coupe

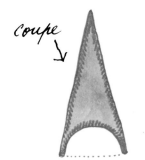

Gnome travaillant au **Moule** *à bonnet une corvée qu'il déteste !!!*

Il préfère être vu sans : culotte que sans bonnet

Physiologie

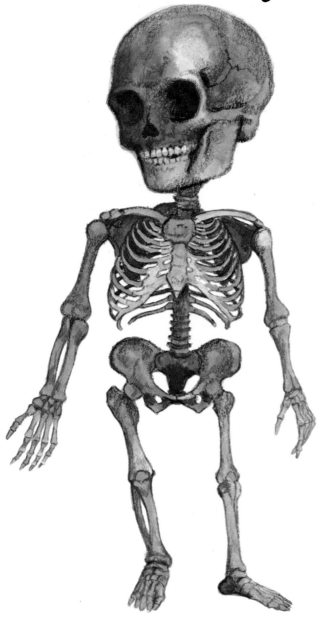

Squelette
Système musculaire
Système circulatoire
Cerveau et système nerveux
Système digestif
Système rénal et vésiculaire
Système respiratoire
Tissus conjonctifs
Peau + cheveux
Sang
Les sens
Système hormonal
Organes sexuels

La cavité cervicale est relativement plus grande que chez l'homme.

8 paires de côtes fixes et 4 paires de côtes flottantes (alors que l'homme en a 5 et 7 paires.)

Les bras sont plus longs, les jambes plus courtes, la plante des pieds et l'arcade plantaire sont douées d'une force exceptionnelle.

Squelette

Il semble que la nature éprouve le besoin de produire certaines de ses créatures en deux dimensions : le cheval et le poney, le cerf et le chevreuil, le rat et la souris, le lièvre et le lapin, l'oie et le canard. De même, la grande différence de taille entre l'homme et le gnome fait ressortir certaines ressemblances fondamentales. Nous énumérons ici les quelques légères dissemblances qu'on remarque entre la physiologie de l'homme et celle du gnome.

Oie

Canard

Système Musculaire

Du fait qu'en descendant du plus grand au plus petit, le contenu d'un objet se réduit à la troisième puissance tandis que sa superficie ne se réduit qu'au carré, un gnome, même gros, se déplace beaucoup plus facilement qu'un homme (comparez l'éléphant à la puce). Le gnome est donc bien plus rapide à la course, saute relativement haut et a sept fois plus de force que l'homme.

Il possède dans les jambes un muscle supplémentaire. Enfin, son système musculaire se compose de muscles rouges et de muscles blancs. Les blancs commandent les performances brèves qui provoquent une forte dépense d'oxygène, marquée par le halètement. Les rouges assurent l'endurance dans le travail quotidien.

Les muscles auriculaires, rudimentaires chez l'homme, sont très développés chez le gnome qui peut dresser les oreilles et les orienter dans la direction du bruit.

Gnome dressant les oreilles ⟶

7 fois plus fort que l'homme ...

Système circulatoire

Le cœur est relativement grand (comme chez les champions et les chevaux de course)

Les artères sont larges et excellentes (les gnomes ignorent l'infarctus)

La quantité de sang qui circule dans les veines est plus élevée que chez l'homme (ce qui endurcit les gnomes contre le froid et leur donne une grande résistance)

Cerveau et système nerveux

Le cerveau est plus volumineux que chez l'homme

Système digestif

La longueur des intestins est supérieure à celle de l'homme (le gnome est végétarien). Le foie est plus gros, la vésicule biliaire plus petite. Il ne s'y forme jamais de calculs.

Système rénal et vésiculaire

L'urine peut être retenue toute une journée.

Système respiratoire

Les poumons sont relativement grands et profonds (rapidité dans la course à pied et grande résistance à l'effort)

Tissu conjonctif, peau et cheveux

Le tissu conjonctif est extrêmement rude et solide. Les cheveux blanchissent vite, mais le gnome ignore la calvitie.

Les sens

VUE
Cornée,
pupille,
iris,
liquide transparent
rétine (comprenant bâtonnets et petits cônes).

La tache jaune contient 800 000 cônes ; chez l'homme, elle ne comprend que quelques bâtonnets, ne permettant qu'une faible visibilité dans le noir. Chez le gnome comme chez le hibou elle compte une forte densité de bâtonnets qui lui donnent une vue perçante dans l'obscurité.
En outre, la grande flexibilité de la pupille donne accès au maximum de lumière.

OUÏE
Le canal externe est court et large.

Le pavillon relativement grand peut se mouvoir dans toutes les directions et se retourner.

Tous les sons sont perceptibles.

Ils sont transmis au cerveau avec la rapidité de l'éclair.

ODORAT
La muqueuse revêtant toute la cavité nasale, elle présente une surface bien supérieure à celle de l'homme. Voir aussi le « Monde de l'Odorat ».

La *transmission-éclair* des picotements de l'odorat au cerveau égale en célérité celle des chiens et des renards.

GOÛT
Ainsi que l'homme, le gnome ne perçoit que quatre saveurs : le doux, l'aigre, le salé et l'amer (le reste est « goûté » par la muqueuse nasale)

TOUCHER
Le toucher du bout des doigts égale celui d'un aveugle.
Les empreintes digitales sont principa- lement de type circulaire.

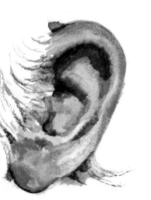

Le Monde de l'Odorat

Tout comme les animaux, le gnome « voit » une grande partie de l'univers par le nez. Même si, aveugle et sourd, il se trouvait au fond d'un bois, il saurait où il est et ce qui se passe autour de lui, parce que, à chaque pas, des odeurs familières viendraient à sa rencontre.

L'homme n'a plus ce pouvoir. De ce paradis perdu, il lui reste encore quelque chose lorsque, grâce à un beau jour de printemps, à un parfum de fleur, aux odeurs indéfinissables d'un vieux village ou à la brise marine, il retrouve soudain les jours heureux de son enfance. Chez les gens des grandes villes, le nez ne sert qu'à percevoir les odeurs grossières de fumée, de parfums, de nourriture, de cuisine, d'aisselles et d'excréments.

Mais le nez sert toujours à « tâter » les goûts. A vrai dire, à part le salé, l'aigre, le doux et l'amer, perçus par la langue, les autres saveurs sont transportées par la muqueuse nasale vers l'arrière-gorge et la fosse nasale (voir Physiologie : *Goût).*

Chez presque tous les animaux (ainsi que chez les poissons et les insectes), l'odorat est un sens aussi important et même plus important que la vue et l'ouïe. Un nez fin et flaireur leur sert à chercher la nourriture (l'hyène, jusqu'à 10 km), à juger de sa qualité (le chien a, derrière les dents, une sorte de « nez » supplémentaire), à reconnaître le sexe (à 11 km chez les papillons), à distinguer l'ami de l'ennemi, à retrouver sa propre trace et à s'orienter en territoire inconnu. Bref, le nez fournit continuellement aux créatures de la nature des informations dont nous sommes privés. Notre muqueuse nasale n'y suffirait pas. Elle se trouve au fond du nez et recouvre 5 cm², celle d'un chien berger 150 cm² et celle d'un gnome 60 cm² au moins (surface plus grande par suite des replis qui se forment).

Exprimé en nombre de cellules de l'odorat :
Homme : 5 millions
Teckel : 125 millions
Fox-terrier : 147 millions
Chien de berger : 220 millions
Gnome : 95 millions

Le gnome aurait donc un odorat 19 fois plus développé que celui de l'homme. Des relevés de l'olfactomètre, il résulte que l'odorat du gnome est 100 000 fois plus développé, du fait que ses cellules sont d'une qualité supérieure à celles de l'homme, de même que celles du renard, du chevreuil, du chien, etc.

Sentir une odeur, c'est recevoir dans le nez une quantité de molécules émises par une substance donnée. Ainsi on sent l'odeur des traces de pas grâce à l'acide butyrique, qui est une forte émanation dégagée par les hommes et les bêtes quand ils transpirent par la plante des pieds, les aisselles et toute la peau. Une semelle de cuir transmet cette odeur et même une épaisse semelle de caoutchouc en reste imprégnée pendant quarante-huit heures. A chaque pas, quelques milliards de molécules d'acide butyrique transpercent la semelle, ce qui est assez pour que bêtes et gnomes les perçoivent. Et même mieux : ils savent exactement dans quel sens se dirigent les pas. Si, par hasard, ils s'engagent dans la mauvaise direction, ils s'aperçoivent au bout de dix mètres de l'absence de molécules d'acide butyrique et ils font demi-tour.

Un nez fin recueille un nombre infini d'odeurs, autant qu'il y a d'êtres vivants sur la terre. Pour n'en citer que quelques-unes : il distingue l'espèce des arbres, des herbes, des graminées, des buissons, des mousses, de tous les animaux, qu'ils rampent ou qu'ils volent, qu'ils aient le sang froid ou chaud, celle des pierres, de l'eau et surtout, plus que tout, naturellement, l'odeur que dégagent toutes les activités humaines.

Ce serait déjà beau si, dans ce paysage, tu voyais le chevreuil.
A part cela nul signe de vie d'aucun autre gibier. Pour nous
du moins. Pour qui a le nez fin, il y a bien des rencontres à faire
ici. (Voir page suivante).

Nous « regardons » ici par le nez d'un gnome, à l'aube, sur le chemin du retour à la maison.

Aussi nettement que nous le ferions dans la neige fraîche, il reconnaît, même sur les cailloux de ce sentier forestier, les traces de tous ceux qui l'ont emprunté :

Entre minuit et une heure et demie du matin, un blaireau l'a parcouru au petit trot (pointillé vert).

Vers trois heures du matin, une renarde (pointillé rouge de gauche) a quitté le sentier de temps à autre pour flairer le sol.

Vers quatre heures, un second renard (pointillé rouge de droite) est apparu, un jeune mâle en quête d'une bonne fortune.

A quatre heures vingt, un sanglier est rentré de la sauvagine (pointillé bleu).

Y ont trottiné toute la nuit des lapins (pointillé noir).

La veille au soir, vers huit heures un quart : deux cerfs se sont rendus à la sauvagine (pointillé jaune) ; sans doute y sont-ils encore, à moins qu'ils n'aient poursuivi leur route vers une autre destination.

Il y a un quart d'heure, une biche a entrepris sa tournée matinale (pointillé rouge central).

Voilà l'essentiel des observations faites par le gnome. Mille autres détails, tel le passage de deux taupes, la course d'un furet, les bonds saugrenus d'un lièvre, le creusement du sol par les hannetons, les empreintes des faisans, ont été perçus par lui ; tout un petit monde que nous ne traduisons pas en lignes pointillées pour ne pas risquer d'embrouiller le lecteur.

[On imagine sans peine la mauvaise humeur que provoque chez le gnome un rhume de cerveau !]

SIXIÈME SENS
ET SECONDE VUE

Communication muette à grande distance (en cas d'incendie, de tremblement de terre, d'inondation).

Prévisions atmosphériques (orage, tempête, pluie, régions de haute et basse pression atmosphérique) : voir LES GNOMES ET LE TEMPS QU'IL FAIT.
Sens de l'orientation égal à celui des pigeons voyageurs, des oiseaux migrateurs. Le gnome ignore l'usage des boussoles. S'il en reçoit une, il la considère comme un objet décoratif qu'il accroche au mur de son salon.

Avec la baguette du sourcier

Hormones et organes sexuels

En ce domaine, nos recherches furent difficiles. Dans la littérature qui traite de ce sujet, les auteurs observent un silence prudent. En plus d'une quantité normale d'adrénaline, le sang du gnome contient une super-adrénaline qui lui permet de réaliser de remarquables exploits dans le domaine sexuel. Les hormones dites Prostaglandines (hormones qui, dans chaque cellule, améliorent certaines fonctions) sont relativement concentrées.
Les organes sexuels du mâle sont identiques à ceux de l'homme.
La femelle n'a qu'une seule ovulation au cours de son existence. Comment cela se fait-il ? Nul ne le sait au juste. Une intervention magique a dû se produire il y a environ 1 500 ans.
La *puissance sexuelle* du mâle se maintient au-delà de sa 350e année.

Maux et Remèdes

Parce que les gnomes atteignent un grand âge on pourrait croire leur tension élevée.

Ils évitent ce danger, non seulement par un usage très modéré du sel, mais aussi en buvant régulièrement de la tisane de bourse de berger.

2 grammes de plante fraîche pour 50 cm3 d'eau bouillante.

Bourse de Berger

Parce que les mâles sortent par tous les temps et ne ménagent par leur peine, ils ont tendance à souffrir de

rhumatismes

qu'ils soulagent en appliquant des pansements d'arnica et en buvant de la tisane d'orties séchées.

Ortie

Contre la grippe, les menaces de rhume et toute infection des voies respiratoires: la tisane de fleurs de sureau

comme gargarisme

la **Prunelle**

Prunella vulgaris

Sureau (noir)

Contre la diarrhée et les coliques : du jus de pavot ou opium qu'on obtient au moyen d'une incision dans la boule de pavot non encore mûre.

Pavot

Contre l'insomnie: la tisane de graines d'aneth odorant ou de

Camomille

Contre la flatulence: la tisane de graines de

Fenouil

Contre la constipation: mâcher tous les jours quelques feuilles de pissenlit.

Fleur de Pissenlit

Contre l'artériosclérose tous les jours une petite feuille de centaurée.

Centaurée

Contre les dépressions, la mauvaise humeur et l'anémie (assez rares à vrai dire): la tisane d'herbe de Saint-Jean ou de fibres blanches de noix.

Herbe de Saint-Jean

Contre les calculs des reins: tisane de jeunes feuilles de bouleau.

Feuille de Bouleau

Quant au reste, ils ne connaissent aucune maladie grave.

Plaies et Bosses

En cas de
Fracture,
la peau est
enduite de
Consoude puis
le membre
brisé est maintenu
à l'aide de
baguettes de
sureau
fraîchement
coupées

les blessures qui saignent
sont étanchées
avec le lis
des marais
ou la
Salicaire

pour **RECOUDRE LES PLAIES,**
on se sert, comme chez nous,
d'aiguilles courbes et
de fil de lin bouilli.
Avant tout on trempe
les aiguilles et les pincettes
dans l'huile bouillante ;
pour anesthésier la plaie,
on y verse quelques gouttes
de lait de pavot.

POUR LES BRÛLURES

du **1er degré** : les frotter d'huile

du **2e degré** : (avec ampoules) une décoction
d'écorce de chêne ou de frêne, dans laquelle
on plonge des linges propres qu'on pose ensuite
sur la plaie (les gnomes savent depuis
toujours que des linges repassés au fer
chaud et ensuite repliés n'infectent
pas les plaies)

du **3e degré** : pas d'instructions
(ne se produisent pas)

POUR LES FURONCLES
une décoction de **RENONCULES**
(Anemone protensis L.)

Entorse,
Foulure,
Ligaments déchirés :

De l'onguent et des
feuilles d'arnica, quant
au reste :
le traiter comme
une fracture.

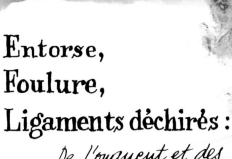

Piqûres d'insectes :

Du vinaigre (de fruits fermentés).
Applications de teinture de **Ledum**
(Ledum-palustre)

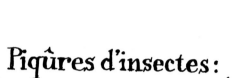

Piqûres
de frelon :

Isoler la piqûre
au moyen d'un
garrot, inciser le
canal du dard ;
laisser saigner
longuement.

Morsures
de serpents : Isoler la morsure

par un garrot, inciser la plaie et
la sucer.

Si on n'y parvient pas ou s'il y a danger
de mort, transport immédiat du blessé en direction
d'une cour royale de gnomes où un Ganisan, ou demi-sorcier,
pratique l'art de guérir et dispose des antidotes nécessaires.

Le Transport des Blessés

Lorsqu'un gnome est grièvement blessé et ne peut se déplacer, il lui faut appeler d'autres gnomes à son secours par un sifflement-staccato que son père lui a enseigné. On n'a recours à ce signal très particulier que dans les situations de détresse et on n'en abuse jamais. Les gnomes qui le perçoivent accourent à toute allure, portent leur camarade blessé sur une civière bricolée à l'aide de deux bâtons et le ramènent chez lui.

Si l'état du patient est plus grave, on a recours aux « moyens de transport urgents ». L'un des gnomes accourus va chercher un faisan, qu'il trouve rapidement grâce à un autre sifflement propre à cet usage. Entre-temps, deux gnomes ont tressé une civière avec des brins de bouleau ou d'autres brindilles (durée : 10 à 15 minutes). La tête et le pied de la civière sont entourés de deux courroies, reliées à une troisième passée au milieu de la civière, puis autour du cou du faisan.

Cet oiseau rapide et vigoureux se dirige alors à tire-d'aile vers l'un des Ganisans (mi-sorcier, mi-médecin) à la cour royale la plus proche. Au besoin, le faisan survolera les étendues d'eau et les zones dangereuses.

La Moyenne de vie des gnomes est d'environ **400** ans.

Leur hérédité est pure et sans mélange. Leur mode
de vie est sain et ils ne sont pas trop gourmands. Aucun
souci ne les tourmente et ils prennent beaucoup d'exercice.

Pourtant ils fument la pipe...

et ne refusent pas les boissons
faiblement alcoolisées !

Couple de fiancés
au cours d'une fête

Quand le gnome
fume, sa pipe
repose sur
le sol.

Gobelet fait
dans une corne
de cerf.

Le Vieillissement

Cependant, même une vie de gnome connaît une conclusion. Passé 400 ans, il devient de plus en plus raide et distrait. Les autres gnomes l'entourent d'un respect exemplaire. Puis, le vieillard est pris d'une tendance à vagabonder. Sa femme l'accompagne dans ses fugues, car elle est à peu près du même âge que lui. Le ménage en souffre ; la maison négligée, devient sale et sombre.

Une nuit, ils ne reviennent pas de leur expédition. Ils ont entrepris le voyage secret vers le Mont de la Mort, que jamais aucun homme n'a aperçu ; ils s'y dirigent avec l'assurance d'un oiseau migrateur ; mais en cours de route, il peut leur arriver d'être la proie de quelque rapace.

Dès qu'ils sont morts, leur arbre de naissance voit ses branches dépérir, à moins qu'il ne serve à plusieurs gnomes à la fois (voir CALCUL HORAIRE).

Il est très rare que les gnomes dépassent l'âge de 400 ans, à l'exception d'un couple qui vécut dans les Balkans où, durant des centaines d'années, les générations successives d'une même famille paysanne prirent soin de placer dans l'étable un petit pot de yaourt à l'usage des gnomes, qui atteignirent ainsi l'âge de 550 ans. Ils avaient chacun un olivier au bord de l'Adriatique.

Types de Gnomes

On distingue : les gnomes des bois, les gnomes des dunes, les gnomes des jardins, les gnomes domestiques, les gnomes de ferme, les gnomes sibériens.

Le Gnome des bois

Le *gnome des bois* est probablement le type le plus courant. Mais on n'en est pas absolument certain car, fuyant les hommes, il dispose de tant d'échappatoires qu'on le voit rarement. Extérieurement, il ressemble au gnome ordinaire.

Le Gnome des dunes

Le *gnome des dunes* est un peu plus grand que celui des bois. Lui aussi évite le contact de l'homme. Son costume est souvent extrêmement terne. La femelle n'est pas vêtue de gris mais de kaki.

Le Gnome des Jardins

Le *gnome des jardins* est du type courant. Il aime les vieux jardins, même ceux qui, par suite de l'extension des villes, sont entourés de constructions récentes. Il est d'humeur assez sombre et aime raconter des histoires mélancoliques. S'il a l'impression d'étouffer, il émigre dans les bois. Mais comme il est généralement très instruit, il ne tarde pas à s'y ennuyer.

Le Gnome de Ferme

Le *gnome de ferme* est de la même race que le gnome domestique, mais il a l'esprit plus lent et aime les valeurs établies.

Le Gnome Domestique

Le *gnome domestique* est d'une race à part. Il a l'air d'un gnome ordinaire, mais sa connaissance des hommes est grande. A force de vivre dans de vieilles maisons historiques, il a vu et entendu bien des choses, que ce soit chez les riches ou chez les pauvres. C'est lui qui parle et comprend le mieux le langage humain et les rois des gnomes sont choisis parmi ses descendants.

Tous ces gnomes ont bon caractère et sont toujours prêts à faire des farces ou à se livrer à des taquineries sans méchanceté, sauf quelques très rares exceptions. Si un gnome est vraiment méchant, ce qui n'arrive qu'une fois sur mille, c'est par suite du croisement d'étranges facteurs héréditaires, par exemple dans des endroits très isolés.

Le Gnome de Sibérie

Le *gnome sibérien* est, plus que les autres, soumis à ce genre d'influence. Il a quelques centimètres de plus que l'européen et fréquente librement les trolls. Dans certaines régions, on ne peut se fier à aucun gnome.

A la moindre contrariété, le sibérien se livre à des représailles, tue le bétail, provoque de mauvaises récoltes, une grande sécheresse, un froid anormal, etc.

Moins nous en dirons, mieux cela vaudra.

Très rarement,
une famille de gnomes
habite un moulin.

Le Calcul Horaire

Les gnomes ont leur propre calcul horaire secret,
basé sur les oscillations cosmiques. Cette science leur
permet de faire des prévisions à long terme : périodes
de sécheresse ou de pluie, hivers rudes ou doux,
ce qui leur semble la chose la plus normale qui soit.
A part cela, ils se servent de notre système horaire.
Certains ont des montres en or ou en argent,
et chaque foyer possède son horloge-coucou de la
Forêt-Noire, que le mâle a reçue en cadeau de
mariage.

Les gnomes calculent leur âge grâce à l'arbre
qui, grandissant avec eux, provient d'un gland planté
le jour de leur naissance. Si, par hasard, dans
quelque village, un tilleul a été planté le même jour, ils
s'y réfèrent volontiers.

Horloge-Coucou

Dès que le jeune arbre est assez grand, les parents y tracent des signes runiques. Ceux-ci sont ensuite inscrits sur une pierre lisse ou une tablette d'argile qui est offerte au gnome en question le jour de ses 25 ans.

Il la gardera toute sa vie en un lieu connu de lui seul. De très grands et vieux chênes portent souvent les caractères runiques de plusieurs gnomes nés la même année.

Chaque année, à l'équinoxe d'été, les gnomes vont voir leur arbre de naissance et y tracent un signe distinctif. Parfois même ils habitent dessous. De cette manière, s'ils venaient à en douter, ils pourraient, à tout moment, retrouver leur âge exact.

Ils se moquent de la superstition des hommes

"Qui a planté l'Arbre, ne le verra pas grand"

Quand leur arbre est abattu par les hommes, ils en ressentent une grande tristesse, mais ils n'oublient pas d'en planter immédiatement un autre et de reprendre le compte des années là où il en était resté.

L'arbre ainsi choisi n'est jamais frappé par la foudre, la tempête ou la maladie. Il ne donne des signes de déclin qu'à la mort du gnome lui-même, à moins que d'autres gnomes ne l'aient également pris pour arbre de naissance.

Les anniversaires ne se fêtent pas le jour même. Le gnome célèbre le fait qu'il a un an de plus durant une période plus ou moins longue, émaillée de petites fêtes paisibles en l'honneur de cet événement. A la demande d'amis qui habitent loin, il est prêt à prolonger indéfiniment ces semaines d'anniversaire.

Les Fiançailles, le Mariage et la Famille

Vers l'âge de cent ans, le gnome mâle commence à penser au mariage, mais certains restent célibataires. Le jeune gnome qui se cherche une femme doit parcourir d'assez grandes distances car leurs populations ne sont pas nombreuses (un gros village comme Bénodet ne compte pas plus de cinq couples, plus cinq dans les fermes alentour), et le nombre de filles nubiles, qui sont en âge mais pas du même sang, est encore plus restreint. Les petites bonnes femmes potelées, aux formes rondes, ont sa préférence. Quand il en a trouvé une, il essaie de la séduire par de multiples attentions. Il se marie aussitôt qu'il a obtenu l'accord de ses beaux-parents. La future maison est avant tout soumise à l'examen sévère du beau-père.

Le Mariage

est une cérémonie très simple (sauf dans les familles royales).

A minuit, au pied de l'arbre natal de la jeune fille, les fiancés se promettent une fidélité éternelle, en présence des deux couples de parents et de quelques amis intimes.*

* Cela se passe toujours par une nuit de pleine lune. Lorsque la lune est voilée par un nuage et que la nuit est trop sombre et peu joyeuse, les gnomes se coiffent de petits capuchons lumineux et les vers luisants éclairent pendant quelques heures la traîne de la mariée.

Ensuite, la date de cet événement mémorable est gravée
dans une pierre ornementale et l'assemblée se dirige en cortège vers
la maison du jeune couple pour y sceller cette pierre dans le mur.
La nouvelle maison a été construite et décorée voici des années
par le mâle en vue de son mariage (voir construire la maison)

Après un festin, le jeune couple part en voyage de noces.

voyage dont les moyens de
locomotion et la sécurité ont
fait l'objet de discussions
préalables avec un certain
nombre d'animaux :
oies sauvages, cygnes, grues...

... renards, loutres,
et loups de Sibérie
qui, à tour de rôle,
se chargent
chacun d'une étape
du voyage.

Les jeunes mariés passent la nuit dans des arbres
creux, des terriers de lapins ou des nids d'oiseaux
inhabités. Au retour, ils visitent le palais royal
et sont présentés à leur roi et
à leur reine, qui tiennent à
connaître tous leurs sujets par
leur nom.

De ce nouveau couple il naît tout naturellement

une seule paire de jumeaux.

La grossesse est de douze mois. Jadis, il y a plus de mille ans, les familles étaient beaucoup plus nombreuses et comptaient jusqu'à 12 enfants. Par suite d'une influence magique dont les gnomes refusent de parler, ce n'est plus le cas aujourd'hui.

Les jumeaux peuvent être 2 garçons, 2 filles ou une fille et un garçon.

Comme les gnomes ne meurent pas de maladie, l'ensemble de leur population reste assez stable, avec une légère tendance à diminuer, à cause de quelques célibataires endurcis et d'autres qui sont victimes d'accidents ou de prédateurs.
Les enfants des gnomes ne deviennent propres qu'à l'âge de 12 ans et ils restent chez leurs parents jusqu'à 100 ans.

Si ce sont des filles, le père gnome laisse à sa femme le soin de les élever et il se contente de les faire sauter sur ses genoux, de leur raconter des histoires, de tailler pour elles de petits animaux de bois

et de jouer avec elles.

Si ce sont des fils - ou même un seul -,
il les emmène avec lui dès l'âge de
13 ans et leur apprend tout
ce qu'ils doivent savoir :

DISTINGUER
les champignons
et les herbes comestibles des
vénéneux, ainsi que les plantes,
distinguer les animaux prédateurs des
espèces amies.

Accélérer
leur **Vitesse
de course**
(jusqu'à égaler
à peu près celle
du lièvre).

Connaître les moyens de fuite
(en plaine, faire des crochets ou fuir en zig za
En terrain boisé, se servir des galeries de
taupes, des garennes de lapins
et des cours d'eau souterrains, etc.)

Ensuite, il leur apprend l'usage de la **Baguette de sourcier.**
Chaque gnome a la sienne et s'en sert pour repérer l'eau, les trésors cachés
ainsi que les rayons terrestres.

Le gnome apprend aussi
le **Sifflement** aigu au moyen
duquel, même à grande
distance, ils peuvent s'avertir les uns
les autres d'un danger qui menace.

Enfin il leur apprend à se servir
d'un petit miroir métallique qui,
en reflétant les rayons de lune ou
de soleil (que les
gnomes redoutent),
peuvent transmettre
des messages urgents.

Jeune
gnome
de 81 ans,
dont
la barbe
grisonne
déjà →

A la maison les jeunes garçons sont initiés à toutes les finesses de la **Menuiserie** et de la **Peinture.**

Dans les ateliers communautaires des forgerons et des potiers (qui se trouvent dans des centres forestiers ou champêtres et que fréquentent dix ou douze gnomes), le jeune apprenti est initié à diverses techniques. On considère qu'il n'en saura jamais assez (voir TRAVAUX DOMESTIQUES).

Le jour de ses 75 ans, le jeune gnome est présenté par son père au conseil régional, dont il connaît déjà plusieurs membres. Il s'ensuit parfois une sorte de rituel d'initiation qui vaut au jeune aspirant quelques nuits pénibles. Mais, pour finir, il est récompensé par son inscription dans le registre et sa participation à une chaude fraternité.

Les filles sont élevées, dans leur propre entourage par leur mère et ses voisines.

Elles apprennent à cuisiner, à filer, à tricoter ainsi qu'à se méfier des animaux prédateurs, bref, tout ce qu'une femme doit savoir pour tenir sa maison.

Une de leurs occupations favorites est de soigner et de nourrir au biberon les petits lapereaux, surtout lorsque leur maman a été tuée par un homme ou par un prédateur.

Une fois que les enfants ont quitté la maison, le gnome reste définitivement seul avec sa femme et, après une courte période d'adaptation, ils s'en félicitent tous deux. La vie de famille n'en est pas moins agréable ni harmonieuse. S'il y a quelque fête à célébrer, les gnomes accourent de près et de loin pour y participer. Et, comme chaque repas ou fête dure au moins trois jours, on a tout le temps d'échanger les nouvelles et de bavarder longuement, de fumer, de boire, de manger et de danser ensemble.

Les danses des gnomes sont du style yougoslave ; on forme des rondes, on s'accompagne en claquant des mains et des bottes. Les femmes s'ornent de fleurs ou de branches chargées de baies.

Costume destiné aux fêtes dansantes :

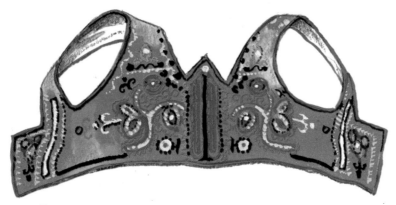

Boléro *somptueusement brodé et chaussons de danses folkloriques.*

La danse "claque-bottes" est accompagnée d'une **Flûte de Pan,** *d'***Instruments à cordes,** *(Très rarement d'un violon,) de* **flûtes** *taillées dans une tige de roseau ou dans un os de lapin évidé et d'un* **Tambour** *fait d'une peau de souris bien tendue. Les gnomes s'accompagnent en chantant d'une voix frêle.*

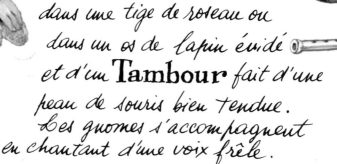

Par les beaux soirs de printemps, ils aiment à se laisser charmer par le chant d'une grive, qu'ils prolongent en fredonnant des **variations rêveuses** *sur ce thème.*

Plus tard, la nuit, quand les grives et les merles sont endormis, le rossignol a tous les succès, avec ses notes rondes et pures, vibrant comme des cordes métalliques.

La Construction de la Maison

Les maisons des gnomes diffèrent selon l'endroit qu'ils habitent.

Celles des gnomes des *bois* et des *jardins* sont situées sous des grands arbres. Parfois, le gnome des *dunes* se sert d'un terrier de lapin transformé ou des racines d'un sapin. Si le sable chassé par le vent dénude sa maison, il la recouvre d'écailles de pommes de pin.

Jadis, quand les nappes d'eau souterraines étaient plus hautes dans les dunes, les sapins portaient des pommes de pin aussi grandes que des pamplemousses, dont les écailles fournissaient des tuiles de qualité pour les toits. Hélas, il n'en reste presque plus.

Le gnome *domestique* habite le jardin mais il peut aussi nicher quelque part entre les murs.

Le gnome de *ferme* habite sous les tas de foin, mais il doit toujours se méfier du putois ; il peut aussi nicher dans une des granges ou sous les bûches ou les planches entassées obliquement contre le mur et qui, parfois, y restent durant vingt ans. A cause des putois, des chats et des rats, les gnomes préfèrent, malgré tout, une petite maison bien charpentée couverte d'écailles de pin, sous les combles ou dans l'une des étables.

Entrée discrète

La Maison~Arbre

15 ou 20 ans avant son mariage,
le jeune gnome se met à construire sa
maison. Il commence par chercher un
endroit favorable, dans les bois ou
dans un vieux jardin, là où poussent
le lichen et la mousse espagnole. Pour
le gnome, c'est signe que l'air est pur,
sans quoi ces mousses meurent par suite
des émanations de gaz, etc. Avec sa baguette
de sourcier, le gnome s'assure qu'il n'y a pas
d'émanations terrestres.

Voilà comment fonctionne la trappe du putois

Sous la première marche de l'escalier se trouve
un piège à putois- une trappe qui s'ouvre d'un
coup sec. Les gnomes qui entrent et sortent sont trop légers pour déclencher
le ressort, mais le furet, le putois, la belette ou le rat,
qui plongent avidement, sont précipités dans la trappe, dont ils
ne seront libérés qu'après avoir reçu une bonne fessée.

S N

la source

les égouts

Ensuite, le gnome cherche deux grands chênes, pas trop espacés, des hêtres au besoin. Sous les racines de l'un des arbres, il creuse une entrée discrète du côté sud. A partir de là, avec l'aide d'un lapin, il continue à creuser un petit couloir horizontal et courbe sous le tronc ; après une brusque descente de 30 cm, ce couloir redevient horizontal en direction du second arbre, où il remonte vers la maison proprement dite qui ne va pas tarder à occuper toute la surface disponible sous le tronc du second arbre ; mais en ce moment, c'est encore un terrier que le lapin a creusé pour lui et qui sera transformé de manière à ne pas endommager l'arbre.

L'orientation de la maison sera nord-sud. Là où le petit couloir remonte, le gnome construit un second escalier avec une rampe. Sur le côté de l'escalier, il place un gong avec son battant. Au pied des marches un gros tapis pour s'essuyer les pieds.

A gong
B porte d'entrée
C coin des chaussures
D puits et seau
E niche où veille le grillon du foyer
F coffre de mariée
G couche isolante en poil de chevreuil
H grenier pour y sécher les fruits

I cheminée avec bouche d'aération
J portraits sculptés
K porte conduisant à la salle de bains
L alcôve
M panier rempli d'aiguilles de pin
N toilettes
O caisse de feuilles mortes

P la décoration de Noël reste toute l'année sur la table

Q mulots domestiques

R espace de jeux et de réception

S alcôve réservée aux hôtes

T trappe conduisant à une sortie cachée.

Le réduit des chaussures

Le premier endroit que le gnome sépare par une cloison en haut de l'escalier es

Il commence par raboter les parois, afin qu'elles soient planes et douces, et par niveler le plancher. Ensuite, il isole le plafond et les murs avec des poils de chevreuil, de la laine de mouton, des fibres de mousse, le tout relié par des brins d'herbe très solides. Alors, seulement, il revêt les murs de planches. Le sol est fait de terre glaise ou de planches, au choix. (Inutile d'ajouter que le gnome scie lui-même les planches dans des troncs d'arbres ; il dispose d'années entières pour ce travail. Voir aussi TRAVAUX DE LA MAISON.)

La salle de séjour

Après le réduit à chaussures, le plus gros du travail reste à faire : la salle
de séjour, le *living,* avec annexes pour trois alcôves – une pour papa
et maman, une pour deux enfants, une pour les invités –, une cuisine,
un coin pour la baignoire, une cheminée, un coin pour le bricolage
et de très vastes toilettes. Cette énorme pièce est également rabotée
et tapissée de couches épaisses de laine, de poils et de fibres,
puis on la revêt de planches et de poutres ; le sol est en parquet. Pour
venir à bout de cet énorme travail, le gnome requiert l'aide de son père.

le **Conduit de fumée**

(également tuyau d'aération)
de la future cheminée
est relié à un trou
de pivert.

La taupe, assistante précieuse des gnomes, creuse sous les futures toilettes une large fosse verticale, profonde de plusieurs mètres et dont le fond est arrondi. Après chaque selle, on jette sur les excréments des feuilles mortes qui les recouvrent. Tout cela nourrit l'arbre.
La paroi de ce canal vertical était autrefois tapissée d'osier tressé pour prévenir l'effondrement. Aujourd'hui, on y enfonce des tuyaux de terre cuite.

la **Taupe**

Dans un angle du réduit à chaussures, la taupe creuse un second couloir vertical relié à une source, nappe souterraine d'eau pure ou ruisselet, au-dessus duquel le gnome maçonne un petit puits entouré de pierres lisses. (Les gnomes n'ont pas de ciment. Quand, par hasard, ils en ont, ils l'échangent avec des hommes.) Pour cimenter les pierres, le gnome emploie un mélange de boue, de cendre et de fumier de vache. Les parois du couloir sont entièrement revêtues de tuyaux pour éviter l'effritement et les impuretés. Cette étanchéité des canaux souterrains représente, dans la construction de la maison, le travail le plus long et le plus minutieux.

Lorsque, après des années de **travail patient, constant et habile,**
la maison est prête, voilà à quoi elle ressemble au début,
au pied du second arbre :

En haut du second escalier, une lourde porte, ornée de moulures et de jolis motifs, donne accès au réduit à chaussures. La partie médiane porte une superbe grille en fer forgé, qui laisse voir la porte intérieure. Celle-ci est presque toujours ouverte, si bien qu'un léger courant d'air, provoqué par le vent ou par le tirage de la cheminée, souffle en permanence dans le couloir.

Le puits, pourvu d'un seau et d'une poulie, occupe un coin du réduit à chaussures. D'autres seaux et une bassine sont alignés le long du mur, des pots et des bouteilles sur la table de travail, ainsi que la niche du *grillon du foyer,* qui, de son oreille fine, perçoit le moindre mouvement dans le couloir extérieur et l'annonce. Les gnomes l'ont attrapé dans les interstices, entre les pierres d'anciennes cheminées enfumées, où il ne pouvait presque plus bouger. Ils le soignent et le nourrissent bien.

Dans l'autre coin du réduit à chaussures se trouve, après le mariage (car c'est le cadeau de noces de la femme), le *coffre de la mariée.* C'est un superbe ouvrage sculpté, orné de peintures de couleurs vives. On y range les cadeaux qu'on offrira aux invités au moment de leur départ. Ce sont des produits de la nature, des bibelots, des outils, ou bien des souvenirs sous forme de proverbes et de poèmes dont, souvent, le visiteur ne comprend la signification profonde que beaucoup plus tard.

offre de la mariée

En face de la porte d'entrée, une seconde porte donne accès à la

salle de séjour ➡

En entrant, nous voyons à droite, une longue table rectangulaire.
Autour d'elle, d'un côté, un banc en forme d'angle et, de l'autre,
le fauteuil de papa et celui de maman. A table, les enfants se tiennent
debout. Une décoration de Noël reste, à longueur d'année, au
centre de la table.

   Plus loin, à droite, on passe dans la salle de jeux ou de bricolage,
augmentée d'une alcôve pour deux personnes, réservée aux invités. Dans
le sol, une trappe de secours communique avec le couloir souterrain.
Dans cette salle de jeux ou sous la table se trouve la corbeille des mulots
qui préservent la maison de la vermine et des insectes.*

   Les gnomes en ont toujours trois ou quatre qu'ils ont apprivoisés
et dressés comme des chiens. Les jeunes mulots sont de charmants
camarades de jeu pour les enfants. Une fois qu'ils sont adultes, on les
échange contre d'autres mulots de gnomes ou on leur rend la liberté.
Comme ils sont bien traités, ces mulots sont une compagnie
agréable. Le seul inconvénient est la brièveté de leur existence.

* Le mulot roux atteint 9 à 13,5 cm. Sa queue a une longueur
de 4 à 6 cm (80 anneaux). Son dos est brun rougeâtre, le ventre
blanc. Les pattes aussi sont blanches. Le museau est court
et aplati ; les yeux et les oreilles sont grands. Chaque année, la
femelle met au monde 2 à 8 jeunes, qui ouvrent les yeux
au bout de 10 jours. Durée de la grossesse : 17 à 18 jours.
Espérance de vie : 2 à 3 ans.

Le Mulot roux

Pour attraper les petites mouches souterraines, si gênantes, les gnomes suspendent une plante grasse aquatique *(Pinguicula vulgaris)* dont les feuilles sont collantes et retiennent les insectes.

En quittant la salle de jeux, on entre dans les toilettes. Déjà la porte est belle, parfois même incrustée de pierres précieuses, mais la confortable chaise percée qui se trouve à l'intérieur est bien plus jolie encore. Pour la décorer de peintures et de fines ciselures, ni les frais ni la peine n'ont été épargnés. Quand il est assis sur ce trône, le gnome prend tout son temps et s'occupe à des travaux d'artisanat. Un petit rouleau de papier est accroché à proximité : ce papier a été fabriqué avec l'aide de la guêpe à papier. De l'autre côté se trouve un grand pot de terre, toujours plein de feuilles mortes à jeter dans le trou quand le gnome a fait ses besoins.

Les toilettes

La Grande Cheminée

En revenant dans la salle de séjour, nous manquons de nous heurter à des bûches soigneusement entassées, destinées à alimenter le feu. Au sommet du tas, un grand panier d'aiguilles de pin embaume. Pour allumer le feu, le gnome se sert très habilement du champignon-amadou, qui pousse sur le tronc des hêtres. En frottant deux pierres à feu, il obtient les étincelles nécessaires. Pour changer, il emploie de temps en temps le pyrèthre, surtout les jours de fête ; cette plante contient tant d'huiles éthérées qu'elle s'enflamme très facilement en s'évaporant. Dans la nuit des temps, on faisait du feu en frottant des bâtonnets.

Vient ensuite la grande cheminée, joliment décorée et orientée vers le nord ; sous la cheminée, le fourneau sert à chauffer la pièce et à faire la cuisine. Aux parois de la cheminée, des cuillères, des tisonniers, des pipes, des chandeliers sont suspendus, ainsi qu'un *tableau gravé.*

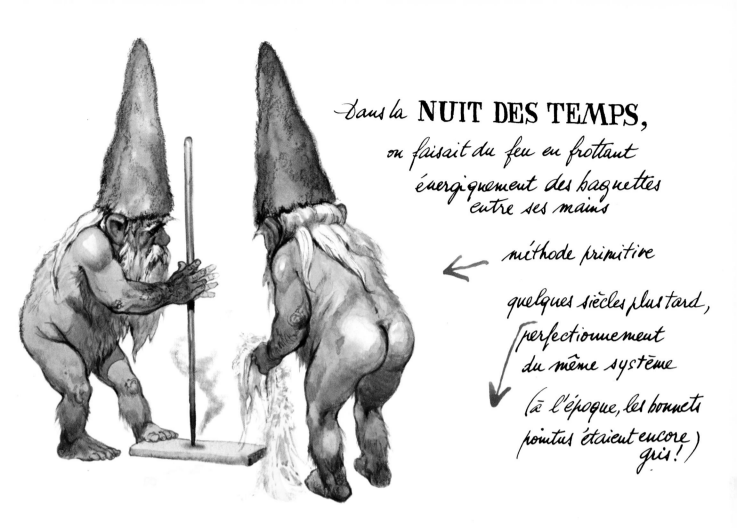

Dans la **NUIT DES TEMPS**,
on faisait du feu en frottant
énergiquement des baguettes
entre ses mains

← méthode primitive

quelques siècles plus tard,
perfectionnement
du même système

(à l'époque, les bonnets
pointus étaient encore
gris!)

Bien que les gnomes, longtemps avant les hommes, aient eu à leur disposition la peinture à l'huile à base de terre* (qui ne fut découverte chez nous que vers 1400, à l'époque des frères Van Eyck), ainsi que d'autres couleurs telles que le superbe rouge tiré de la racine de la garance, et qu'ils s'en soient servis pour décorer leurs meubles et leurs maisons, ils n'ont jamais peint de tableaux. Mais ils gravaient dans le bois des portraits de leurs ancêtres, de ceux qu'ils aimaient ou de célébrités.

* Couleurs à base de terre et de glaise. Après avoir été purifiées et diluées dans de l'huile d'olive, ces couleurs – tous les ocres, l'ombre, la terre de Sienne, la terre brûlée, le brun Van Dick, etc. - deviennent extrêmement résistantes.

Une salle de bains, aussi grande que les toilettes, leur fait pendant. La baignoire en fer forgé est remplie avec des seaux d'eau, chauffée sur le fourneau. Parfois il y a aussi une douche manuelle alimentée par un réservoir d'eau de pluie situé dans le grenier. L'écoulement du bain rejoint, par un canal oblique, le tunnel vertical situé sous les toilettes. Des glaces d'argent poli, accrochées au mur, ont été faites avec tant de patience et d'amour qu'elles ne le cèdent en rien à nos plus jolis miroirs.

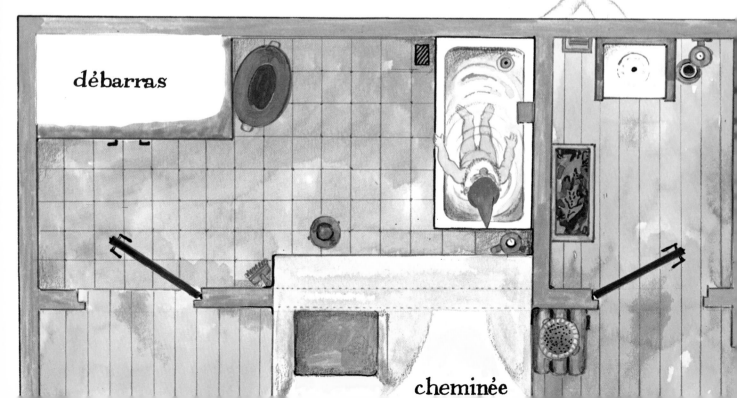

écoulement

débarras

cheminée

En suivant toujours le sens des aiguilles d'une montre, nous passons devant le mur latéral où se nichent les alcôves abritant les lits de la famille, auxquels on accède au moyen de petits escabeaux. Au mur, d'autres portraits gravés ainsi que des bassinoires.

Revenant enfin à la porte de la salle de séjour, nous trouvons l'horloge à coucou de la Forêt-Noire, présente dans toute maison de gnome, puisque le mâle l'a reçue en cadeau de mariage.

Cette pièce a un double plafond ; dans l'espace compris entre les deux parties, on sèche les fruits. Au moyen d'une lucarne et d'une petite échelle on peut même y entrer. Des crochets sont fixés aux poutres pour suspendre le berceau.

La demeure dépend naturellement plus ou moins de l'état des racines de l'arbre sous lequel elle est construite. Certains gnomes préfèrent une maison en profondeur, sans fenêtre, d'autres aiment avoir une petite lucarne haute, découpée dans le toit incliné, et cela surtout dans les bois marécageux où il est difficile de construire en profondeur.

La bonne entente des gnomes avec les lapins et les taupes offre de grands avantages, outre l'agrément d'une relation harmonieuse avec les animaux. Ces travailleurs vêtus de velours noir et gris creusent patiemment toutes les pièces et les galeries que le gnome désire. Grâce à cette collaboration, la taupe, qui connaît l'emplacement exact de la maison qu'elle a creusée, ne risque pas de la démolir, même par inadvertance.

En échange de ces services, si le gnome découvre, dans l'un de ses couloirs, un piège que la taupe est incapable de discerner, il avertit son amie du danger qui la guette. Quant aux lapins, il leur conseille de rester chez eux les jours où la chasse est ouverte et, de plus, il les assiste au cours de leurs misérables derniers jours, quand ils succombent à la myxomatose. Le gnome ne peut pas les empêcher de mourir, mais il leur administre des gouttes d'opium pour alléger les souffrances de leur agonie.

Dans toutes les maisons des gnomes, l'un des murs ou bien le sol est percé d'une ouverture, cachée par un tapis, donnant accès à un terrier de lapin. C'est une issue de secours en cas de grand danger.

Là où certaines parties de la maison, telles que les petites granges à provisions, émergent des racines, ou bien dans les régions où la nappe d'eau souterraine est haute et le sable très léger, ces éléments extérieurs sont recouverts de tuiles pour lesquelles le gnome, ainsi que nous l'avons dit plus haut, utilise des écailles de pommes de pin. Celles-ci, recouvertes de mousse ou de lichen gris-vert, se confondent avec le reste du décor.

Le Troisième Arbre

Sous un *troisième* arbre tout proche de la maison,
le gnome a construit ses *granges à provisions* et ses
entrepôts. C'est là qu'il conserve son blé, ses fèves,
ses semences, ses pommes de terre, ses noix.
De telles réserves sont naturellement indispensables,
surtout durant les hivers longs et rudes. D'ailleurs, le
gnome n'hésite pas à aider les pauvres diables
affamés, qui n'ont plus de provisions. Parfois, mais
pas toujours, les granges et les entrepôts situés
sous le troisième arbre sont reliés par des couloirs
à la maison construite dans les racines du second
arbre.

   C'est un spectacle bien comique que de voir un
hamster, derrière le dos d'un gnome en train de
remplir ses granges, les vider aussi vite que le gnome
les comble. Cela ne va pas sans quelques prises de bec.

Hamster

L'habitation des gnomes dans les fermes et dans les vieilles maisons
est adaptée à l'environnement mais presque toujours construite sur le
même plan. On y trouve également, aussi près que possible de l'entrée,
une trappe pour putois. L'eau de pluie est habilement récupérée des
gouttières et recueillie dans des réservoirs. La décharge de la
baignoire et des toilettes donne presque toujours dans la rigole de fumier,
derrière les vaches.

La *maison du saule* sert généralement de pavillon de vacances. On utilise
le plus souvent, à cet usage, des saules ou des peupliers têtards. La
maison est construite à un tiers de la hauteur du tronc creux. Si des
canards viennent nicher dans ces arbres, ainsi qu'ils font souvent,
la présence des gnomes assure la tranquillité de la mère cane, quand
celle-ci doit s'absenter pour se baigner ou se nourrir.

La Routine Quotidienne

Après le coucher du soleil, la maison des gnomes se réveille (même sans fenêtres, ils savent quand la nuit tombe, d'ailleurs les mulots commencent à trottiner). Madame se lève et se dirige, en traînant ses savates, vers le fourneau dont elle ranime habilement la flamme en jetant quelques brindilles sèches sur les braises qui couvent.

Ensuite, si son mari veut prendre un bain, elle met à chauffer quelques seaux d'eau ainsi que la bouilloire du thé et se rend à la salle de bains pour faire sa toilette.

Quand madame sort de la salle
de bains, monsieur s'attarde
encore un petit quart d'heure puis,
avec quelques plaisanteries d'un goût
douteux, il sort ses pieds noueux de
sous les couvertures.

A son tour il enfile ses pantoufles, accroche
sa chemise et son bonnet de nuit à un joli crochet
en fer forgé et jette un regard approbateur à sa femme, qui vide
des seaux fumants dans la baignoire et y ajoute de l'eau
froide jusqu'à la température idéale;

sur quoi, le mari entre dans son bain en
fredonnant, prend dans un récipient accroché au
mur quelques poignées de **SAPONAIRE** séchée
(Saponaria officinalis), qu'il réduit en poudre
et jette dans l'eau pour obtenir une
mousse abondante.

Pendant que père et mère
sont ainsi occupés, les
enfants mettent le couvert

et papa se sèche.

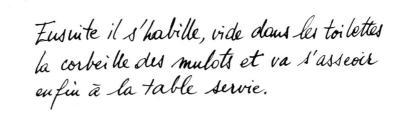

Ensuite il s'habille, vide dans les toilettes
la corbeille des mulots et va s'asseoir
enfin à la table servie.

Voici à quoi
ressemble le petit déjeuner :

Thé de menthe
Thé de cynorrhodon
Thé de tilleul
Thé de jasmin
} au choix

Cynorrhodon

Oeufs *de petits oiseaux chanteurs*

Champignons *séchés ou frais, choix d'au moins 60 variétés dont :*

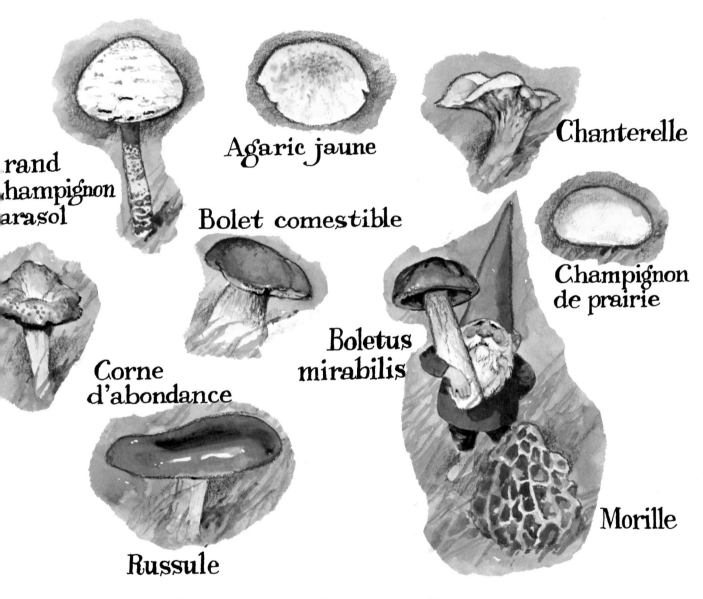

Agaric jaune

Chanterelle

Grand
champignon
parasol

Bolet comestible

Champignon
de prairie

Corne
d'abondance

Boletus
mirabilis

Morille

Russule

Beurre *d'huile de tournesol ou de navets*
Panade *de semences variées de graminées*
Pain *de farine de glands*
Oeufs de fourmis
Confiture *de myrtilles, de framboises et
de mûres*
Pain d'épices
dont le sucre vient du miel ou de la betterave sucrière

La femme du gnome lui prépare un casse-croûte pour son expédition nocturne : un gland évidé rempli de thé et un sachet de biscuits qui, étant composés de semences de graminées, sont, à eux seuls, un repas nourrissant.

Là-dessus, le gnome allume sa première pipe de la journée, attend que sa femme ait débarrassé la table et rangé la vaisselle du déjeuner puis ils discutent ensemble des occupations de la nuit qui vient ou des problèmes concernant leurs enfants.

En quittant la maison, le gnome caresse en passant le grillon du foyer, parcourt le long couloir, monte le petit escalier et pendant quelques minutes il "reconnaît" * le territoire afin de ne pas tomber dans l'embuscade de quelque chat braconnier.

Reconnaître = écouter et guetter longuement avec attention

S'il fait encore un peu
trop clair, le gnome,
assis à côté d'un ami lapin, attend
que la nuit tombe...

Ensuite, quand il se met en route, tout peut arriver
selon les rencontres qu'il fait et la tâche
qu'il s'est assignée. Il se rend soit à la forge,
soit à la poterie ou à la

Scierie

Les tuiles de ces granges sont faites
d'écailles de pommes de pin.

Le gnome peut aussi se rendre dans
de lointains jardins de plantes
médicinales et y semer des graines,
désherber, ratisser, tailler
ou moissonner.

Il lui faudra aussi ramasser du bois à brûler - ou cueillir des baies...

Bref, il fait tout ce qu'il y a moyen de faire en une courte
et tiède nuit d'été, une longue et froide nuit d'hiver, une nuit de
printemps, toute veloutée de noir et baignée de lune, une nuit pluvieuse, etc.

S'il y a suffisamment de neige, il chaussera ses skis de sept lieues et s'en ira à bonne allure. Il faut bien qu'il les mette, car sans eux le gnome s'enfoncerait entièrement, dans la neige fraîche !

Lorsque ses affaires ne l'obligent pas à découcher le gnome rentre chez lui juste avant le lever du soleil; il y trouve tous les préparatifs du repas principal. (Les gnomes ne mangent que deux fois par jour, sans compter les amuse-gueule de lait ou de panade).

Ce repas principal peut consister en :

   noisettes
noix
faînes, etc.

 champignons
(voir le
petit déjeuner)

 des pois   des fèves

une petite pomme de terre

toutes espèces de légumes

 de la compote de pommes,
des fruits, des baies
(mûres, framboises, myrtilles,
groseilles, cassis, nèfles, baies
de sureau, groseilles des Alpes,
baies d'aubépine, groseilles
à maquereau, etc., etc.;
Tous les tubercules et les herbes.

les boissons :

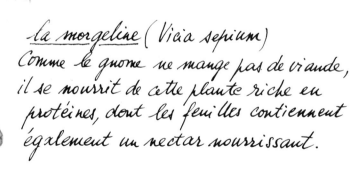 la morgeline (Vicia sepium)
Comme le gnome ne mange pas de viande,
il se nourrit de cette plante riche en
protéines, dont les feuilles contiennent
également un nectar nourrissant.

 l'hydrom...
(miel ferm...

la rosée,

le jus de framboise
fermenté (hélas, parfois tro...
alcoolisé)

comme dessert :
des confitures

 pour bien dormir :
du genièvre aromatisé
aux herbes sauvages

udant
lques années,
enfants
t nourris
sein
ternel

Durant l'absence du gnome, sa
petite femme, si elle a encore des
enfants au berceau, passe son temps
à changer les langes, à les laver, les
repasser, bercer les petits, leur donner
le sein, leur chanter des berceuses. Si ce
n'est pas le cas, elle joue, fait la cuisine,
tricote, fait les lits, s'en va bavarder
avec sa voisine; en passant par des galeries
souterraines elle s'en va vite tailler une
bavette avec les lapins, ou elle gronde
les mulots, nourrit le grillon, etc.

Quand le soleil se lève, le père
lit un chapitre du
LIVRE SECRET,
ue tous écoutent respectueusement,
près quoi on ferme toutes les
ortes, baisse la flamme du foyer,
et les enfants au lit et impose
le silence aux mulots.

Et voici que le jour se lève sur la maison des gnomes. Chacun crie
« *slitzweitz* » (bonne nuit, dans leur langage) aux autres. On entend
encore quelques rires étouffés dans l'alcôve des enfants ; dans celle de
papa et maman un ronflement à deux voix s'enfle peu à peu ; dans la
corbeille des mulots, après force allées et venues, chacun s'installe
pour dormir ; la bouilloire siffle encore doucement sur le feu ; dans le
réduit à chaussures, le grillon du foyer grésille toujours sur le même ton.
Tout est en sécurité. Dehors, des bandits peuvent rôder ; la tempête,
l'orage, la pluie, les rapaces peuvent menacer. Au-dessus de la maison
du gnome solidement bâtie se dresse un arbre dont le tronc a un mètre de
diamètre. Le grillon du foyer est sur ses gardes, la taupe et le
lapin ne manqueront pas de signaler immédiatement tout incident
digne d'être pris au sérieux. Non, vraiment, il ne peut rien arriver.

A chaque nouvelle lune, le gnome se réveille au milieu du jour. Il se
lève avec précaution et sort le grand Livre de raison. Il s'assied à
sa table et inscrit tous les événements des quatre semaines écoulées.
Il a fabriqué lui-même l'encre avec du jus d'agaric luisant. A dates
fixes, le livre doit être présenté à la cour, afin que le roi soit instruit
des faits et gestes de ses sujets.

Industrie Familiale

Eclairage

Dans les maisons de gnomes et les couloirs souterrains, l'éclairage se fait au moyen de **bougies** et de **lampes à huile**

Les *bougies* sont fabriquées par le gnome lui-même ; dans des endroits secrets des bois et des champs, il possède des ruches dont la population est peu nombreuse (moins de 20 000 abeilles). Lors de la création de nouvelles ruches, le gnome les équipe lui-même de minces feuilles de cire laminée. D'avance, à l'aide d'une matrice hexagonale, il a imprimé dans la cire un modèle de cellule semblable à celui de notre illustration. D'après cette empreinte, les abeilles continuent à construire des cellules dont les parois sont en cire. Cette cire est *transpirée* par les abeilles, qui la sécrètent par les glandes de leur arrière-train.

La matière première en est le pollen absorbé par les abeilles. Les cellules sont ensuite tapissées d'œufs et isolées par la membrane natale. Après avoir donné naissance à plusieurs jeunes abeilles, le haut des cellules noircit par suite de leurs multiples allées et venues, et elles doivent être remplacées. Le gnome retourne la ruche et découpe l'ancienne masse de cellules (les rayons), qu'il place dans une boîte métallique dont le fond est muni d'un petit tuyau d'échappement. Sur cette boîte, le gnome place un couvercle fait d'une double couche de verre, puis il pose le tout au soleil, sur quatre bâtonnets. Sous le tuyau d'écoulement, il place le moule d'une bougie avec la mèche suspendue au milieu. Dans la boîte, la température monte très vite et, au bout d'un moment, la cire liquide coule dans la pipette.

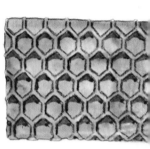

rayon de cire

Pour fondre la cire destinée aux chandelles,
le gnome doit évidemment sortir et
s'exposer de temps à autre aux rayons
brûlants du soleil. Pour se protéger,
il s'est fabriqué une paire de **Lunettes de soleil**
(pareilles à celles que portent les Esquimaux dans la neige) et faites d'une
légère planchette de bois percée d'une fente pour les yeux.

La Céramique

Le gnome cuit lui-même toutes ses poteries. La matière première dont il se sert est la *terre glaise ;* celle-ci se compose de silicates hydratés d'aluminium, mêlés à toutes sortes d'impuretés. Dans une masse de glaise préparée, l'eau existe sous trois formes :

1. l'eau chimiquement mélangée aux silicates
2. l'eau hygroscopiquement absorbée par la glaise
3. l'eau qu'on ajoute à la glaise pour la rendre malléable.

Une fois que l'objet, par exemple une assiette, est modelé à la main, il perd l'eau en ordre inverse : celle qui avait été ajoutée par le gnome disparaît d'abord quand on fait sécher l'objet au soleil et au vent. Puis l'eau hygroscopique s'évapore de l'objet exposé à une température de 120° à 150°. Alors seulement, lors de la cuisson de 600° à 800°, l'eau des silicates s'évapore à son tour. L'objet se compose alors de silicates purs, et il est dur. Il a d'ailleurs rétréci de 20 à 40 %.

Du fait des impuretés mélangées à la glaise et surtout des oxydes de fer, l'objet obtenu est rougeâtre ou brun. Si le gnome y ajoute de la *chaux*, la couleur pâlira jusqu'au jaune. L'objet ainsi obtenu est en terre cuite.

Plus la glaise contient de silicates naturels et de carbonate ou sulfate de calcium et de kalium, moins le matériau obtenu est poreux.

Pour éviter un rétrécissement excessif et l'apparition de craquelures lors de la cuisson, la masse est mélangée durant le pétrissage de *produits de remplissage* (qui sont, le plus souvent, du sable ou de la chaux moulue).

Sous la goutte éternelle,

après des centaines d'années
d'égouttement perpétuel, les
cailloux, autrefois, devenaient
lisses, évidés et prenaient
la forme qu'on souhaitait.
Aujourd'hui, les gnomes utilisent
le tour du potier,
qu'on fait tourner
en pédalant ↓

Par la rotation du tour on obtient des plats
des pots, des vases,
des tasses,
des bols.

Les anses et les becs des cafetières
sont ajoutés après coup.

Avant de mettre ces objets au four,
on les orne de motifs décoratifs
taillés en relief
dans du bois et
imprimés dans l'argile
encore humide.
La peinture se fait
éventuellement après
la cuisson.

Le Four du Potier *(au bois du pendu)*

Depuis longtemps, la cuisson à ciel ouvert ou dans un trou a été remplacée par celle qui se fait dans un four. C'est seulement dans un four qu'on peut réaliser la pénétration égale d'une chaleur régulière, portée à 800° C, dans les objets obtenus à partir de terre glaise.

Les gnomes se servent des bois de cerf ou de chevreuil évidés pour se faire de jolies assiettes, des tasses et des soucoupes ; ils y découpent des lamelles et les creusent. Ils les utilisent aussi pour tailler avec amour des manches de couteaux, de fourchettes et de cuillères ainsi que des *boutons*.

Le Soufflage du Verre

Le verre s'obtient en faisant fondre du *cristal de roche* ; tous les objets en verre des gnomes sont donc faits de *quartz,* dont la qualité est infiniment supérieure à celle du verre ordinaire. Il ne se fend pas au contact de la chaleur, ne se fêle presque jamais et étincelle d'un éclat naturel. Mais il doit être soufflé à très haute température.

Afin de colorer le quartz, le gnome habile ajoute au cristal fondu l'améthyste mauve, les cristaux de topaze jaune, l'agathe, la calcédoine rouge, l'émeraude verte. Il en fait, pour les enfants, de très jolies billes.

Le verre de quartz, très transparent, sert à faire des lunettes, des lentilles télescopiques, des verres à boire, des vitres. Et, en couleurs variées, on fabrique aussi des lampes pour l'intérieur et l'extérieur de la maison, parfois même des lanternes en forme de bonnet de gnome.

La Métallurgie

On emploie l'or, l'argent, le cuivre et le fer. Pour le gnome, l'or et l'argent n'ont aucune valeur monétaire mais il aime s'en servir et les destine aux usages les plus divers étant donné leur résistance aux intempéries et leur éclat durable. Il en existe de grandes réserves dans les Cours royales et ailleurs ; leur origine est mal connue ; mais chaque gnome peut y puiser autant qu'il le désire.

Il en est de même pour le cuivre. Ce métal s'obtient librement en Suède et en Hongrie ; on l'emmagasine ensuite dans un entrepôt central.

On obtient du fer en faisant fondre de l'hématite, minerai extrêmement répandu qui contient du Fe_2O_3 (oxyde de fer brun rougeâtre). Un cylindre de pierre d'environ 30 cm de haut sert de haut fourneau. Au fond de ce cylindre on dépose une couche de charbon de bois, puis une mince couche d'hématite, puis encore une couche de charbon de bois, et ainsi de suite jusqu'au sommet du cylindre. Sous la première couche on pose une série de soufflets qui stimulent puissamment le feu une fois qu'il est allumé. Au bout d'un certain temps, le fer fondu et liquéfié s'écoule et on le recueille. Après une série de manœuvres de purification et de refonte, le métal obtenu peut servir à faire de la fonte ou du fer forgé.

La méthode utilisée pour *fondre* des objets d'usage courant en or, en argent, en cuivre ou en fer est celle de la « cire perdue », encore en usage actuellement. On commence par faire un modèle en cire de l'objet qu'on désire obtenir. Ce modèle est ensuite revêtu d'une couche de glaise dans laquelle on ménage un petit trou. L'étape suivante consiste à chauffer la glaise afin de la durcir. Entre-temps, la cire a fondu et s'est écoulée. On verse alors le métal liquide en fusion dans le moule vide en terre glaise qui ne peut résister à une température élevée. Une fois qu'il a refroidi, on le casse et on le jette au rebut.

la méthode de la cire perdue

La Menuiserie

Le gnome est menuisier-ébéniste de naissance. Il construit lui-même tous ses meubles, sans exception. Dans les armoires, les chaises, les bancs, etc., il n'y a pas un seul clou. Tout est fixé par des queues d'aronde, des chevilles de bois et de la colle. Les portes des armoires pivotent sur des chevilles de bois fixées en haut et en bas du meuble.

La construction de **petites maisons pour les oiseaux** est une occupation favorite des gnomes.
Toutes sont faites sur mesure pour chaque espèce d'oiseau et on les voit accrochées dans des coins isolés du bois. En échange, l'oiseau qui couve permet au gnome d'examiner ses œufs par transparence et de prendre, pour les manger, ceux qui ne sont pas fécondés.

Voyez ces trous minuscules dans le tronc de l'arbre ; ils sont produits par les **chaussures spéciales** que met le gnome pour grimper.

FLEUR de LIN

Tous les vêtements de la famille sont faits par la femme elle-même. Pour le linge elle se sert du lin.

La Confection des Vêtements

Dans un jardin secret, son mari a semé pour elle des *graines de lin ;* il les a semées très serré afin que les tiges ne se ramifient pas. Ensuite, il a arraché toutes celles qui jaunissaient, c'est-à-dire qui ne mûrissaient pas ; ces tiges-là, il les a peignées pour en recueillir les graines.

Les tiges ont ensuite été soumises à un processus de *pourriture* et de fermentation, suivi du *séchage.* Puis, le gnome les a peignées pour les séparer, il les a écrasées et enroulées en écheveaux.

Le lin ainsi obtenu est très finement *filé* par la femme du gnome, puis enroulé à nouveau. Elle peut alors s'en servir pour tisser ce qu'elle veut sur son métier.

Quant à la laine, qui sert à tricoter les dessous, les bas, les chaussettes, les gants et les écharpes, on se sert de **poils de chevreuil** si on veut qu'elle soit rude et solide; ces poils se trouvent en abondance dans les troupeaux de chevreuils.

Pour les tissus plus doux, le gnome
trouve du duvet de lapin
à volonté.

Pour les couvertures et les pulls, il se sert de touffes de poils de mouton
accrochées aux fils de fer barbelé ou traînant dans les prés.

Chacune de ces laines est lavée, huilée, séchée, cardée, peignée,
filée, tendue, tordue, tricotée ou tissée.

LA TEINTURE

de ces étoffes se fait comme suit:

le
ROUGE
avec du
Chanvre

le JAUNE avec
la

Serratule (serratula
tinctoria)
ou des
feuilles d'Ancolie

le BLEU avec l'Indigo
(Isatis tinctoria)
dont la poudre est, à l'origine,
d'un rouge cuivré, qui devient
bleu par l'oxydation
à l'air.)

La femme du gnome fabrique aussi
de la laine avec du Duvet de chardon
dont les boules peluchenses,
une fois cardées,
produisent de la laine

L'osier tressé
en rond

La Vannerie

Une natte tressée en rond

un panier tressé

Une clôture tressée,
dont la technique
est évidente.

← Ancien métier
à tisser des
gnomes

modèle
perfectionné ↗
par les gnomes

jeune femme
en train de tisser

instrument →
à travers lequel les fils
égalisés se relèvent
et s'abaissent

Écorce de Bouleau

les bottes et les chaussures sont
faites en écorce de bouleau
martelée à l'infini,
parfois aussi en feutre de poils
de chevreuil et de fibres
de mousse raides.

LE CUIR n'est pas toujours disponible car les
peaux doivent provenir de souris, d'écureuils, de lapins
ou d'autres animaux morts par accident, écrasés
par une voiture, gelés, empoisonnés par des pesticides
ou tués au cours d'un combat.

On en fait des culottes, des blagues à tabac, des bottes,
des souliers, des sacoches, des bretelles et même parfois
des charnières de porte.

Quelques rares gnomes sont même propriétaires
d'un **élevage de Vers à soie** mais
ils sont uniquement "Fournisseurs
de la Cour".

Les Relations avec les Animau

Le gnome est naturellement en contact étroit avec les animaux.
Il est - en quelque sorte - sur la même longueur d'ondes
que ceux-ci.

Cela signifie qu'il parle leur
langue et comprend leurs
problèmes.
Tous les animaux, même les
plus gênants déjà cités
dans ce livre, tels le putois,
le rat, etc., se sentent en
confiance avec le gnome.
Pourtant, le chat fait exception
à cette règle, surtout
le chat sauvage domestiqué,
qui ne fait plus partie
du monde animal originel
et auquel on ne peut
absolument pas se fier.

Tandis que même le loup, le lynx, l'ours, le renard et le sanglier, qui ne brillent pas par leur douceur, respectent le gnome, savent où le trouver quand ils ont besoin de lui et obéissent sans trop maugréer à ses désirs et à ses ordres.

Quelques exemples

Le monde animal ne saurait se passer des gnomes. Grâce à leur intelligence et à leurs moyens techniques, ils peuvent agir et intervenir dans des situations qui laissent les animaux désarmés.

Les renards, ainsi que d'autres animaux, sont parfois tourmentés par des *tiques* qui se nichent dans la peau de leur crâne et dans d'autres endroits difficiles à atteindre. Lorsqu'ils se débarrassent des tiques en se frottant contre un arbre, la tête de l'insecte reste dans la peau et provoque une infection durable. Le gnome attend que la tique soit endormie et il l'arrache d'un coup en tirant dans le sens inverse des aiguilles d'une montre.

Quand deux cerfs s'accrochent par les bois au cours d'un combat,
c'est-à-dire quand leurs cornes s'emmêlent de manière inextricable
(souvent à cause de pointes anormales ou de protubérances particulières),
le gnome peut scier ces protubérances et libérer les pauvres bêtes qui sont
alors à demi mortes de faim. Les ramures sont insensibles et
peuvent être sciées sans que douleur s'ensuive.

Quand une vache ou une chèvre a « l'aigu dans le corps », c'est-à-dire
lorsqu'elle a un objet acéré dans la panse, par exemple un couteau
à peler les pommes de terre, un éclat de verre ou un bout de fil de fer,
le gnome est capable de l'en débarrasser au moyen d'une opération.
Presque toujours, le paysan, propriétaire de l'animal, a devancé
le gnome et appelé le vétérinaire mais, s'il a négligé de le faire, ou
s'il est trop pauvre pour payer la visite du spécialiste, les gnomes
s'en occupent.

Pour commencer, la peau du flanc est rasée puis, au moyen d'une
petite entaille, on ouvre le derme et l'épiderme ; la paroi musculaire
abdominale à triple couche est ensuite rabattue et fixée de trois côtés.
Après l'ouverture du péritoine, la doublure latérale de l'estomac
apparaît. Au prix de quelques tâtonnements, le gnome situe l'objet aigu,
et une petite incision pratiquée dans la panse suffit à l'en retirer.
L'estomac, le péritoine, la paroi abdominale et la peau sont recousus
méthodiquement.

Si les *lapins pris au lacet* se débattaient moins désespérément et avaient le sang-froid d'attendre qu'on vienne à leur secours, plus d'un serait sauvé par les gnomes. Avec une petite lime et une pince, le gnome parvient à dégager le lacet déjà profondément enfoncé dans la peau du cou et à le limer.

Nous avons déjà évoqué les avertissements que donnent les gnomes aux lapins quand un danger les menace ainsi que l'assistance qu'ils leur apportent dans leur agonie lorsque la myxomatose les éprouve. Il faut également porter au crédit des gnomes certaines guérisons de membres d'animaux blessés ou écrasés qui tiennent presque du miracle et semblent le fait d'être doué d'une intelligence supérieure. Le plus souvent, un animal gravement blessé se retire pendant une quinzaine de jours dans les buissons les plus touffus où le gnome a tout le temps de le soigner.

Les gnomes s'amusent divinement
à arbitrer, à l'aube, les combats
simulés des **Coqs de bruyère**

Pour avoir été trop goulu, un canard garde un gland
en travers du gosier ; en le manipulant
de l'extérieur, le gnome retourne le gland
et le fait glisser vers l'estomac.

L'acupuncture

L'*acupuncture* est connue des gnomes depuis plusieurs milliers d'années. Pour la pratiquer, ils se servent d'aiguilles d'or et d'argent.

(Le *blaireau* qu'on voit sur cette illustration a eu la cornée perforée par une branche qu'il a heurtée dans l'obscurité. Les aiguilles piquées autour de l'oreille gauche ont insensibilisé le côté gauche de son visage, ce qui a permis de recoudre normalement la cornée.)

L'acupuncture permet également de retirer les *épines* profondément enfoncées ou cassées dans les pattes des quadrupèdes ; c'est une technique vieille comme le monde.

Qu'il soit à l'écurie ou aux champs, jamais un cheval ne mettra le pied sur un gnome, pas plus que ne le font les vaches ni d'autres grands animaux. Le gnome va et vient entre leurs pattes, sans le moindre danger, et il peut même s'y endormir.

Parfois, les bois d'un cerf s'entortillent
dans un fil de fer, un fil barbelé
ou dans des branches biscornues,
qui le retiennent comme un étau.
Bien que la bête ne courre aucun
danger, les gnomes n'aiment pas la voir
entravée et ils sont toujours prêts
à la débarrasser de ce qui la gêne.

Les Ecureuils

Les *écureuils* oublient souvent la plupart des endroits où ils ont caché leur provision de noix avant la mauvaise saison. Durant les hivers rudes et prolongés, une telle étourderie peut causer leur perte, mais la mémoire infaillible du gnome le plus proche vient toujours les tirer d'affaire.

Les Araignées

Les *araignées* ne sont pas spécialement bien vues des gnomes, mais jamais aucun d'eux ne déchirera une de leurs toiles car cela porte malheur.

Les Loutres

Le gnome se sert des *loutres* pour traverser les ruisseaux, les rivières et d'autres pièces d'eau. La loutre nage la tête hors de l'eau et, secouée de petits rires étouffés, elle dépose le gnome à bon port. (Nager représenterait un grand danger pour le gnome à cause des brochets, et il ne dispose pas toujours de petites barques à coque d'écorce.)

La vieille chanson taquine qui dit à une *coccinelle :* « Bête à bon dieu, envole-toi vite, ta maison est en feu », si bien que le petit insecte ouvre ses ailes et s'envole, a été inventée par les enfants des gnomes.

Le **Mouflon** est un mouton sauvage importé de Sardaigne et de Corse. Comme le sol sablonneux et la bruyère, en France, contiennent peu de cailloux, les sabots du mouflon ne s'usent pas et, s'allongeant démesurément, lui font comme des babouches musulmanes. Le gnome les scie et les lime.

Durant les longs et rudes
hivers, le gnome assume, comme
une grande personne, la
tâche de nourrir les petits
rongeurs avec les provisions
empruntées à ses granges.

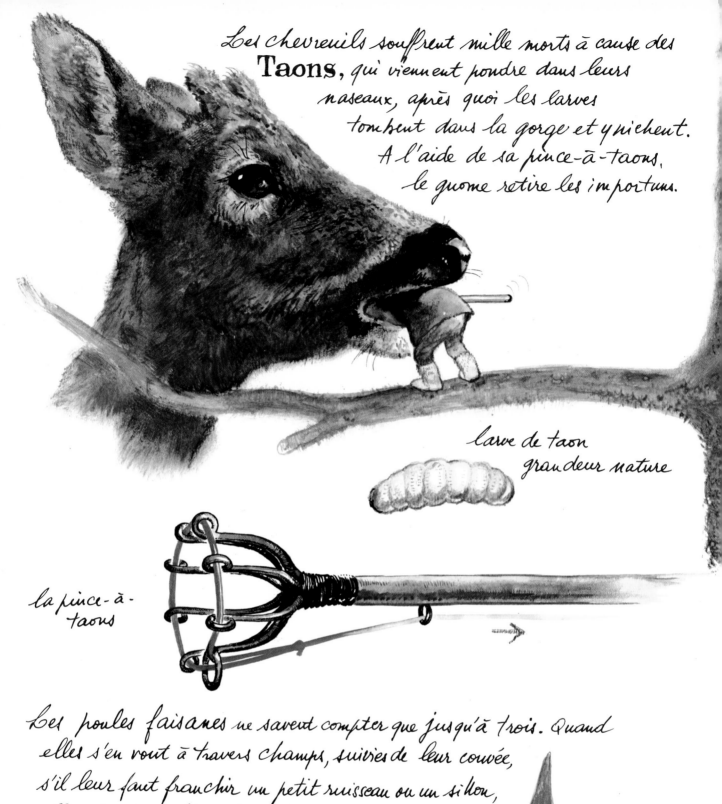

Les chevreuils souffrent mille morts à cause des **Taons**, qui viennent pondre dans leurs naseaux, après quoi les larves tombent dans la gorge et y nichent. A l'aide de sa pince-à-taons, le gnome retire les importuns.

larve de taon grandeur nature

la pince-à-taons

Les poules faisanes ne savent compter que jusqu'à trois. Quand elles s'en vont à travers champs, suivies de leur couvée, s'il leur faut franchir un petit ruisseau ou un sillon, elles attendent l'arrivée du troisième poussin et poursuivent leur route tandis que, la suite de la couvée, souvent plus faible, reste en arrière, prise de panique, et parfois se noie. Le gnome, découvrant ces pauvres orphelins au crépuscule, les sauve en retrouvant la mère faisane à des centaines de mètres de distance; il transporte le poussin et le met sous l'aile maternelle.

En échange des multiples services que le gnome
rend aux cerfs et aux sangliers, ceux-ci lui accordent
volontiers la petite pomme de terre qu'il dérobe
aux endroits où on les nourrit.

Le Putois

Le putois pose beaucoup de problèmes aux gnomes, qui savent
que cet animal paralyse les grenouilles vivantes et
les conserve ensuite pour les dévorer en temps et lieu.
Ayant entendu raconter cette histoire dans son enfance,
le gnome garde toute sa vie la crainte que
ça lui arrive aussi !

Les Petits Jeux

La Balançoire

Comme tous les enfants du monde, les enfants des gnomes aiment *se balancer*. Il y a toujours moyen d'attacher une corde dans les buissons. Dans les dunes ou les prés, le père construit souvent une escarpolette. D'ailleurs, pour réfléchir à certains problèmes sérieux, un gnome adulte aime, lui aussi, se balancer doucement.

Les enfants aiment jouer à la Libellule ou
à l'Elfe avec les
**graines
ailées** du **Frêne**
(Acer pseudoplatanus)
ou, mieux encore, avec
celles du Frêne à boules
de neige (Acer opalus).

Avec la moitié d'une bogue de châtaigne ou
de marron, les enfants jouent au
Hérisson et essayent d'effrayer les
mulots. Les petites filles s'amusent
volontiers avec des chatons de saule
elles les habillent comme des poupées
ou de petits animaux et les
mettent au lit.

De la tige creuse des roseaux (Anthriscus vulgaris) ou de celle
du panais (Pastinaca sativa), les enfants font des

Sarbacanes   et lancent des boulettes d'herbe.

Ils jouent aux **Billes** avec des cailloux ou des billes de
glaise cuites par leur père ou avec des billes lumineuses
dans lesquelles on a soufflé des figures magiques.

Ils jouent aussi à la **Marelle** avec un petit canif,
à **Cache-Cache** et au **Jeu de boules**

avec des crottes de lapin bien sèches
et inodores; à proximité de ces petits tas de
crottes, qu'on trouve dans les bois et
les prés, ils jouent sous l'œil admiratif des lapins.

Le jeu de la corde

Football *avec des baies de symphorine*

Saute-mouton, Sauter à la corde, Colin-Maillard,
Lancer des cerfs-volants

avec un hanneton ou un bourdon (quand papa et maman ne le voient pas)

Se déguiser
en elfes, sorcières, papa et maman,
roi et reine, etc.

Jouer à la bascule
avec la planche la plus lisse qui soit

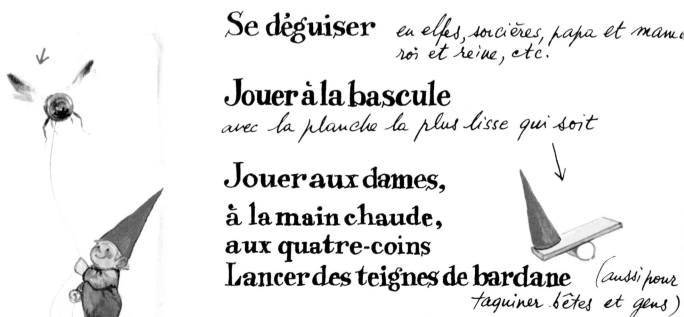

Jouer aux dames,
à la main chaude,
aux quatre-coins
Lancer des teignes de bardane
(aussi pour taquiner bêtes et gens)

Jouer aux portraits de gnomes.

Le Langage

Entre eux, les gnomes communiquent dans leur propre langue. Pourtant, comme on ne rencontre qu'un seul gnome à la fois, on n'entend jamais parler cette langue. En outre, il est extrêmement difficile de se renseigner à ce sujet. Toutefois, une chose est certaine : non seulement ils parlent entre eux, mais les animaux les comprennent aussi. Au lieu de « bonsoir », on dit *slitzweitz* et, pour « merci », *te diêws*, mais nous n'en savons guère plus, alors que les gnomes comprennent parfaitement le langage des hommes. S'il arrive qu'ils ne saisissent pas le sens d'un mot, ils se renseignent aussitôt.

Pour la langue écrite, ils se servent de signes runiques.

"Slitzweitz" = Bonne nuit

Autres Créatures du Crépuscule et de la Nuit

Elfes, Lutins, Esprits Familiers, Trolls, Esprits des Rivières, Nymphes des Bois, Nymphes des Montagnes, Uldra

Parce que l'on confond souvent ces créatures avec les gnomes, il est nécessaire d'en parler ici.

Les Elfes

Un elfe est un esprit aérien, qui danse et joue des instruments à cordes avec une insouciance charmante. Les elfes vivent sous terre, parfois au-dessus, ou bien dans l'eau, de préférence près d'une source, ou encore dans les branches des grands arbres. Ils leur arrive même de prendre une forme animale. De nature, ils ne sont pas méchants, et s'il arrive que leurs facéties tournent mal (des gens s'égarent par leur faute dans des marécages), c'est sans aucune préméditation de leur part. Il y a des elfes mâles, des elfes femelles et des elfes neutres. La plupart ont des ailes.
Taille : de dix à trente centimètres.
Intelligence : concentrée, de haut niveau.

Les Kobolds

Ces petits hommes noirs comme l'encre mesurent jusqu'à trente centimètres et portent un petit bonnet pointu. Ils sont nettement
maléfiques et ne s'en cachent pas. Si quelqu'un vient à mourir, ils se
présentent pour témoigner leur malveillance aux parents du défunt.
Avides d'or et d'argent, ils essaient souvent de les dérober aux gnomes.
D'habitude, ils se promènent armés d'une petite pelle. On ne
les voit guère que dans de vastes forêts où ils se livrent à de longues
expéditions de braconnage.

kobold
2/3 de sa grandeur

Les Esprits de la Maison

Comme ces esprits peuvent se manifester sous plusieurs formes, dont celle d'un gnome, d'un rat, d'un chat ou d'un chien noir, on les confond souvent avec les gnomes. D'habitude, ils sont invisibles pour les gens mais peuvent, sous ces diverses formes, se rendre visibles la nuit. Ils chahutent beaucoup dans la maison qu'ils habitent, dissimulés entre les murs, au grenier, à la cave, à l'écurie, dans la grange. Parfois même, ils s'abritent dans un grand arbre voisin de la maison. Ils ne sont pas très intelligents, mais se montrent gentils tant qu'ils sont bien traités. Ils taquinent les paresseux en arrachant les couvertures de leur lit, en soufflant dans la chambre un air glacé, en renversant leurs seaux de lait ou en donnant des coups contre les murs pour les empêcher de dormir.

Si, un beau jour, ils se fâchent, ils peuvent devenir très méchants. Ils font alors un vacarme insupportable et lancent des pierres. Le bétail tombe malade, la sécheresse sévit, le vent souffle en tempête et il fait froid à pierre fendre.

Les Trolls

Les régions qu'ils habitent sont la Norvège, la Suède, la Finlande, la Russie, la Sibérie. Ils sont bêtes, primitifs, à la fois crédules et méfiants, d'une laideur répugnante. Ils ont un nez en forme de concombre et une queue. Leur force est redoutable ainsi que leur rapidité. Ils empestent et gardent souvent dans leur maison des caisses pleines d'argent et de bijoux volés, qu'ils caressent des doigts pendant des heures.

Taille : plus d'un mètre.
Couleur : jaune-brun.
Cheveux : noirs et d'une saleté répugnante.

Les Lutins

Ils appartiennent à une espèce quasiment disparue du sexe masculin. Ils peuvent mesurer jusqu'à un mètre vingt, mais sont souvent plus petits. On ne les trouve plus que dans des forêts inhospitalières et dans les montagnes. Ce sont eux qui creusent de vastes mines pour en extraire l'or et l'argent. Ils vivent en groupe et sont maîtres dans l'art de la ferronnerie. A part quelques solitaires, sans doute rejetés du groupe et qui font de très vilaines choses, ils ont bon caractère. Si un lutin tombe entre les mains des hommes, il achète sa liberté avec de l'or.
Les lutins sont imberbes.

Les Esprits des Rivières, des Bois et des Montagnes

Ces êtres légers, souvent invisibles, prennent toutes les formes qu'ils veulent et sont doués de pouvoirs magiques. N'étant en fait, ni bons ni mauvais, ils évitent toutes les difficultés par leur habileté à retirer leur épingle du jeu. Mais si, malgré tout, on les tourmente à l'excès, ils provoquent des catastrophes. Leurs pleurs sont parfois lugubres et leur rire passe pour sardonique. Souvent, ils se cachent derrière un arbre pour épier du coin de l'œil tout ce qui se passe autour d'eux.

Les Uldras

Ces créatures souterraines ne vivent qu'en Laponie. Elles ont la forme et la silhouette d'un gnome mais sont incolores. Elles vivent en familles nombreuses qui réunissent plusieurs générations et exercent une autorité absolue sur les bêtes sauvages des bois telles que l'ours, l'élan, le loup, le renne qui leur obéissent au doigt et à l'œil. En plein jour, elles sont aveugles comme des taupes. Elles sont très gentilles mais, là aussi, les persécutions exercées par les hommes peuvent provoquer des catastrophes. L'une des pires revanches des uldras est de répandre sur les lichens une poudre qui provoque la mort des rennes par dizaines. Elles ont de longues dents pointues, et le visage couvert de poil.

Relations avec d'Autres Créatures

Avec les elfes, les Robolds, les esprits de la maison, les lutins, les esprits des rivières, des bois et des montagnes, les uldras, les magiciens, les sorcières, le loup-garou, les esprits du feu, ceux du blé et les fées, les gnomes n'ont pas de relations suivies. Ils les évitent et vont même jusqu'à les fuir.

Pourtant, dans le nord de l'Europe, en Russie et en Sibérie, les gnomes ont souvent de grandes difficultés avec les *trolls*, car ceux-ci sont des fauteurs de trouble dont l'agressivité est dirigée contre bêtes et gens avec lesquels les gnomes entretiennent d'excellentes relations.

Heureusement, une fois hors de leur trou, les trolls n'ont aucun pouvoir sur les gnomes qui, de plus, sont infiniment plus intelligents qu'eux. Mais si, un jour, les trolls arrivent à s'emparer d'un gnome, il peut se passer des choses épouvantables.

Voici l'un de leurs supplices préférés : de ses mains qui sentent le rat mort, le troll coince le gnome contre une meule en plein mouvement.

Ou encore, il pousse le gnome si près d'un brasier que le malheureux prend feu. Ensuite, les trolls se le lancent de l'un à l'autre et leur jeu consiste à étouffer les flammes de leurs mains moites, sans se brûler.

Les trolls peuvent emprisonner le gnome, pieds et poings liés, un couteau sur la gorge, ou laisser tomber très près de lui un couteau pointu qui se fiche en terre, ou bien encore le faire danser au bout d'une chaîne ou l'accrocher à la roue d'une poulie – bref lui infliger tous les supplices que peuvent imaginer des esprits malsains.

Les trolls ne cherchent pas vraiment à tuer le gnome ; ils ne sont pas méchants à ce point, mais le gnome risque avec eux de vilaines blessures. En fait, presque toujours, il parvient, grâce à ses propres ressources ou à des secours extérieurs, à s'échapper du trou des trolls.

Bien pis est le sort du gnome qui vient à tomber entre les griffes du *morvelon* dont il ne reste heureusement que deux ou trois exemplaires dans le monde. Il a la taille d'un troll, qui fut peut-être son ancêtre, dans la nuit des temps ; à chaque main, il a six doigts griffus aux ongles très longs et d'énormes pieds plats avec sept orteils chacun. Sa toison de poils gras et puants, qui grouille de poux et de puces, le couvre de la tête aux pieds et cache même son visage, dont on n'aperçoit que les yeux maléfiques et stupides. Ces singes morveux vivent plus de deux mille ans et sont des voleurs invétérés. Dans leurs repaires, on trouve des montagnes d'objets hétéroclites qu'ils ont volés au cours des années, ainsi que de l'or, de l'argent et des pierres précieuses. Le tout empeste la punaise.

Un gnome qui serait aux prises avec un morvelon n'aurait guère de chances de survivre. Nous connaissons le cas d'Olie Hamerslag (aujourd'hui âgé de 385 ans), qui habite les marécages asséchés de la Bérésina. Il eut les jambes sciées par un morvelon dans un hachoir à haricots, mais il parvint heureusement à s'en tirer de justesse. Il fut ramené chez lui par une corneille mouchetée et, depuis plus de soixante-dix ans, il marche avec des jambes artificielles sans que cela se remarque vraiment.

Hélas, nous connaissons aussi des cas où un gnome, écrasé dans une moulinette, a perdu la vie. Aujourd'hui, les derniers morvelons vivent loin au-delà de l'Oural, et les gnomes sont assez malins pour rester à distance, dans un rayon d'au moins mille kilomètres. Autrefois, ces créatures diaboliques prenaient un plaisir vicieux à se coucher à l'entrée d'une maison de gnome, quand ils en découvraient une, et à souffler si loin à l'intérieur, leur haleine brûlante et pestilentielle, qu'ils en détruisaient le mobilier, y compris les irremplaçables portraits gravés et autres ornements. Les gnomes s'enfuyaient alors par l'issue de secours, mais il leur fallait tout rebâtir ailleurs.

Morvelon

Le Gnome et la Météorologie

58.000 par centimètre carré

Nous n'avons pu approfondir autant que nous l'aurions voulu les connaissances des gnomes en météorologie. Leurs prévisions sont d'une exactitude qui dépasse de loin celle des stations les plus perfectionnées d'Europe occidentale. A nos questions, ils ne donnèrent que les réponses les plus vagues, marmonnant : « ça se sent », ou « ça va de soi », « ça se devine à la couleur du ciel », « on sait ça depuis toujours », etc.

Il est établi qu'ils sentent l'humidité de l'air et l'approche d'une dépression aux réactions des petites *ventouses* que porte le revers des feuilles. Celles du chêne, par exemple, en comptent 58 000 par centimètre carré. De son œil perçant, le gnome reconnaît à l'aspect d'une feuille si ces ventouses sont toutes ouvertes ou fermées.

D'autre part, les gnomes suivent très fidèlement le cycle de onze ans des taches du soleil.

Une troisième indication leur vient des courants atmosphériques qui, à haute altitude, sont les premiers signes annonciateurs des changements de temps. Dans ce cas, les gnomes tiennent leurs renseignements des oiseaux.

La meilleure blague qu'ils imaginèrent pour nous induire en erreur fut de nous montrer l'arbre-météo *(Sertularia cupressina)* dont les feuilles retombent mollement quand il fait sec et se redressent dès que l'air est humide.

Bien que le gnome sache exactement à l'avance le
temps qu'il va faire, il s'aventure souvent sous la
pluie et la grêle, dans le brouillard, la chaleur et le gel
car ça ne lui fait ni chaud ni froid.

Quand il gèle très fort, il cache ses mains
sous sa barbe.

Aussitôt que la glace a un centimètre d'épaisseur,
le gnome chausse ses patins. Si le froid persiste, des
concours de patinage sont organisés.

Par temps *d'orage*, il y a peu de risques que la
petite silhouette du gnome soit frappée par la
foudre. S'il s'agit d'un gros orage, le gnome se
réfugie sous un hêtre car cet arbre n'attire pas la
foudre. Les gnomes connaissent ce petit poème
en vieil allemand, qui met en garde contre
la foudre (le marteau du dieu Thor).

Le chêne, il faut l'éviter,
Sous le saule, ne pas s'arrêter,
Le pin représente un danger,
Le hêtre, il faut le chercher.

Quand le gnome annonce la *tempête,* il est infaillible, tout comme les animaux, qui ne s'y
trompent jamais. Cette science a pour eux
une extrême importance car un tourbillon risque
de les emporter s'ils sont surpris en terrain plat.

La *neige* aussi est annoncée avec précision.
C'est important à cause des multiples orifices et
des petits trous du sol qu'elle comble rapidement,
et que les gnomes utilisent à des fins diverses.

Ainsi que nous l'avons indiqué, après une chute de
neige, le gnome chausse volontiers ses skis de
sept lieues.

Dans la montagne, il sait reconnaître les
risques d'avalanche aussi bien que les chamois,
les renards, les chevreuils et les cerfs. Les
avalanches se produisent sur des pentes lisses
et vierges, à l'air innocent, où l'on ne voit aucune
empreinte d'animaux ni de gnomes.

Trop souvent il arrive que, dans un village de
montagne, une énorme boule de neige s'en aille
éclater contre un mur et ... qu'on voie sortir
un gnome ahuri, qui avait fait un faux pas.
Le gnome évite donc de préférence les pentes raides!

L'Usage de l'Energie Naturelle

LA ROUE DENTÉE

Simple autant qu'ingénieux !
pas de bruit, pas de puanteur.

← L'arbre qui se balance
dans le vent assure le
mouvement perpétuel de
la roue dentée.
Reliée à la roue dentée,
qui transforme ce va-et-vient en
une rotation à sens unique:→

L'arbre a environ
25 m de haut,
en réalité les poulies
sont plus petites que
↙ l'image,
environ
12 mm.

LA ROUE DENTÉE

LA MACHINE A ÉCRASER

LA ROUE DENTÉE

LA ROUE A CHEVILLES

LES MARTEAUX-PILONS
*pour écraser l'écorce de bois
et les graines.*

Mue par la même impulsion énergétique:
la meule
pour moudre la farine de glands,
de faînes et pour
presser les fruits

LA ROUE DENTÉE

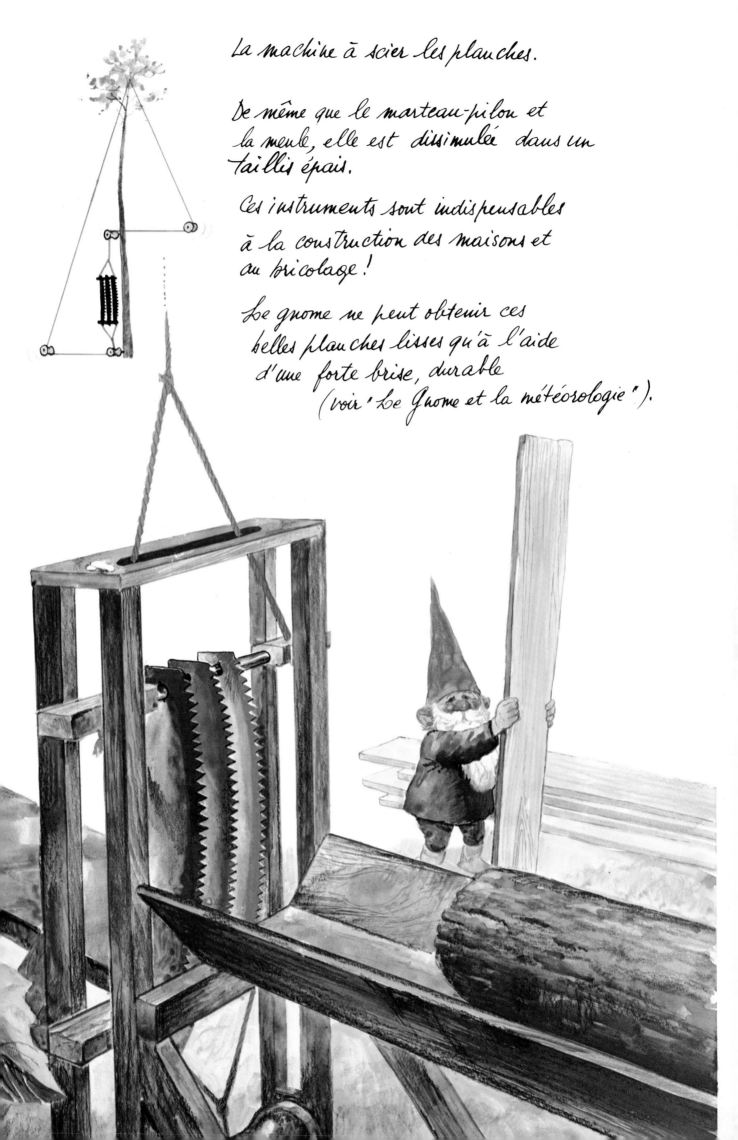

La machine à scier les planches.

De même que le marteau-pilon et
la meule, elle est dissimulée dans un
taillis épais.

Ces instruments sont indispensables
à la construction des maisons et
au bricolage !

Le gnome ne peut obtenir ces
belles planches lisses qu'à l'aide
d'une forte brise, durable
(voir "Le Gnome et la météorologie").

Les Outils

sci manuelle à double tranchant

scie manuelle à manche de pistole

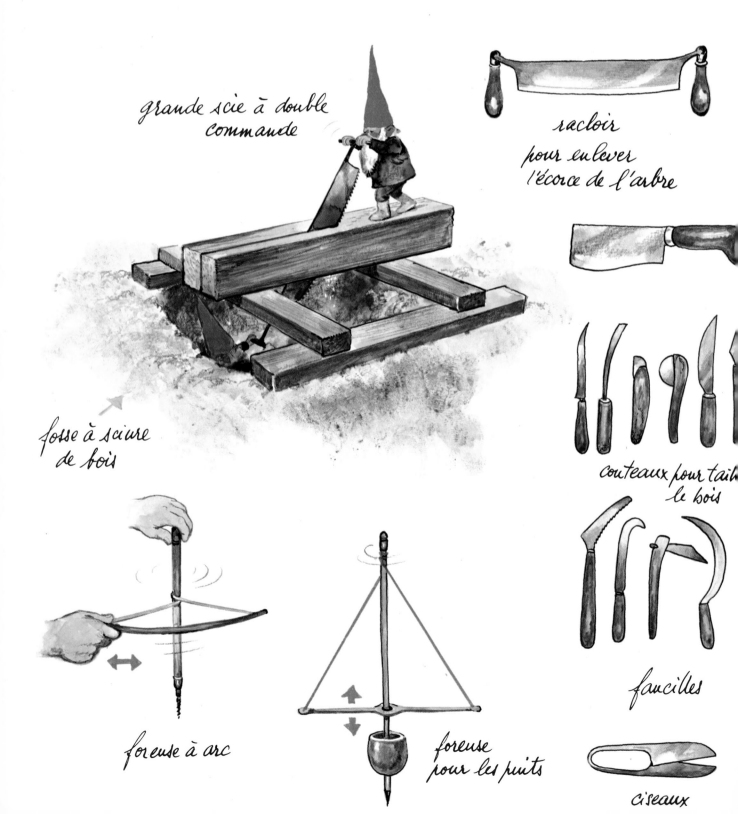

grande scie à double
commande

fosse à sciure
de bois

foreuse à arc

foreuse
pour les puits

racloir
pour enlever
l'écorce de l'arbre

couteaux pour tail
le bois

faucilles

ciseaux

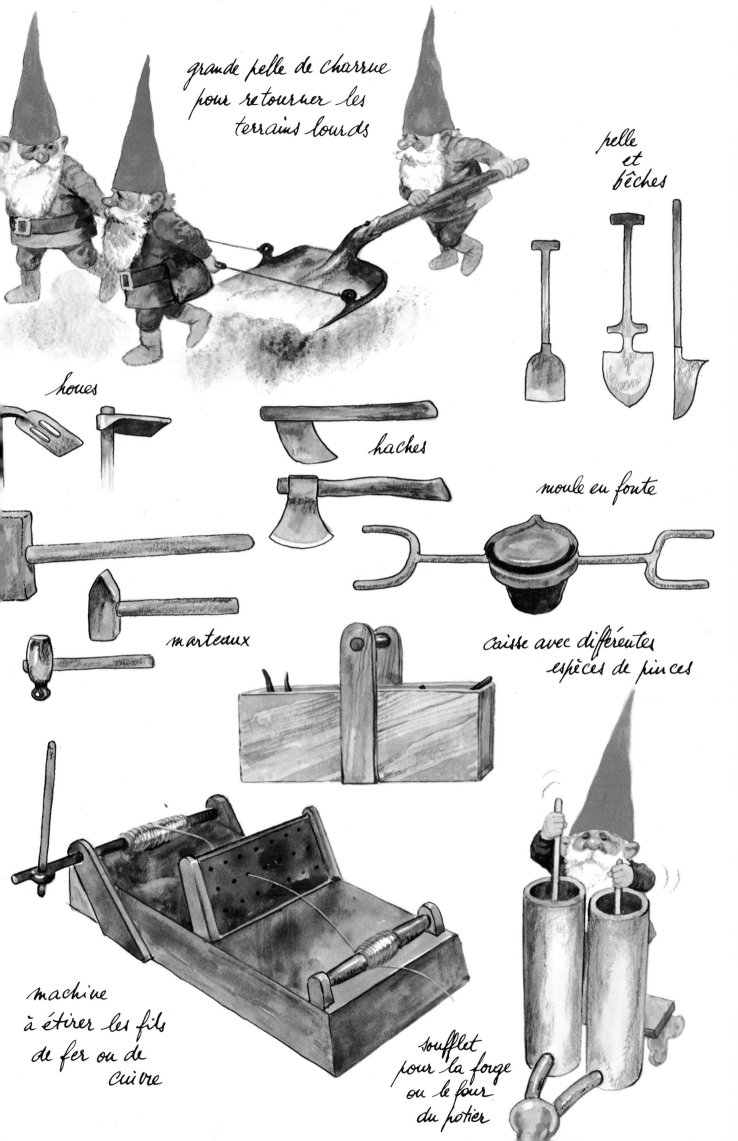

grande pelle de charrue
pour retourner les
terrains lourds

pelle
et
bêches

houes

haches

moule en fonte

marteaux

caisse avec différentes
espèces de pinces

machine
à étirer les fils
de fer ou de
cuivre

soufflet
pour la forge
ou le four
du potier

Légendes des Gnomes

1

Dans une petite chaumière, au milieu d'une vaste et sombre forêt, vivait un très pauvre charbonnier.

Il avait une femme, six enfants et un matou noir et borgne, qui guettait d'un œil les souris et les rats. Les enfants avaient deux heures de marche pour se rendre à l'école. La maison était entourée d'un potager et même d'un petit jardin tout fleuri ; l'étable abritait deux chèvres étiques et un cochon.

La famille avait suffisamment de bois pour se chauffer, un clair ruisseau venu de la montagne coulait à deux pas. Le charbonnier s'en allait travailler avant le lever du soleil et ne rentrait qu'au crépuscule. Pourtant, à huit, ils avaient à peine de quoi vivre. La femme soupirait souvent et disait au charbonnier :

« Comment allons-nous faire pour élever tous nos enfants ? »

Il haussait alors ses épaules noires et répondait qu'il ne pouvait travailler davantage, ce qui était vrai.

Un jour, comme il rentrait à la maison dans la pénombre, il vit de loin le matou qui sortait du bois avec un rat dans la gueule. Mais, chose étrange, ce rat n'avait pas de queue. Curieux, le charbonnier s'approcha du chat qui, tapi sous un buisson et se voyant surpris, s'était mis à grogner. Mais son maître ne le craignait pas. Le tenant d'une main par la queue, il appuya le pouce et l'index de l'autre sur les joues du matou, le forçant ainsi à lâcher sa proie.

« Ça alors ! » s'exclama le charbonnier. Il venait de ramasser non pas un rat mais une petite femelle de gnome. Elle était morte.

Des gnomes, le charbonnier en avait déjà vu, mais jamais de femelles. Il la porta chez lui et, avec une serviette, essuya quelques gouttes de sang qu'elle avait sur les joues et les jambes. Sa femme et ses enfants caressèrent cette poupée morte, la posèrent ensuite sur l'appui de la fenêtre de la salle et se rendirent à la cuisine pour y manger des pommes de terre au lard. Mais, à leur retour, la petite femelle avait disparu.

— C'est peut-être le chat qui l'a reprise, dit la femme, mais le matou, toujours sous son buisson, les regardait d'un œil torve. Renonçant à chercher, ils allèrent se coucher car ils devaient tous se lever tôt le lendemain.

Au milieu de la nuit, le charbonnier se réveilla. On le tirait doucement par l'oreille. Un gnome se tenait à la hauteur de sa tête.

– Tu as sauvé ma femme, dit-il. Que puis-je faire pour te récompenser ?

– Mais elle est morte ! protesta le charbonnier qui tombait de sommeil.

– Elle faisait semblant. Heureusement, à part quelques bleus et des égratignures, elle est bien vivante, bientôt il ne restera plus trace de sa mésaventure. Dis-moi ce que tu souhaites. Voici une petite flûte ; quand tu souffleras dedans, je reviendrai. Et il disparut.

Toute la nuit, le charbonnier discuta avec sa femme. Ils décidèrent finalement de demander au gnome la permission de faire trois vœux, tout comme dans un conte de fées.

Le lendemain soir, le charbonnier souffla dans sa flûte et, au bout d'un moment, le gnome parut.

– Je voudrais faire trois vœux, dit le charbonnier un peu intimidé tandis que, derrière lui, sa femme ranimait le feu.

Le gnome prit un air soucieux, puis il dit :

– C'est bon pour une fois : quel est ton premier vœu ?

– Je voudrais une pépite d'or, pour ne plus avoir de soucis d'argent.

– Tu l'auras, mais l'or fait rarement le bonheur.

– Ça m'est égal, dit le charbonnier.

– Et les autres vœux ?

– On n'y a pas encore pensé.

– Tu n'as qu'à souffler dans ta flûte si tu as besoin de moi, dit le gnome en soupirant.

Le lendemain matin, une pépite d'or de la taille d'une orange étincelait devant le seuil de la chaumière. Le charbonnier la ramassa et s'écria :

– Nous sommes riches, nous sommes riches !

Et il courut au village pour échanger cet or contre de la monnaie.

Mais aucun des villageois n'avait jamais vu d'or, et ils n'en connaissaient donc pas la valeur. Le forgeron conseilla au charbonnier de se rendre en ville, chez un bijoutier. Notre homme s'en fut aussitôt, mais, au lieu de suivre la route carrossable, il voulut prendre, à travers les marécages, un raccourci qu'il avait découvert dans son enfance. Il avançait en dansant, les yeux fixés sur sa pépite d'or, si bien qu'il s'éloigna du sentier sans s'en apercevoir et, brusquement, sentit qu'il s'enfonçait dans le marécage. Il essaya de regagner la terre ferme en se roulant dans l'herbe, mais ce fut en vain. D'une main, il serrait désespérément sa pépite et, de l'autre, il réussit à porter la flûte à ses lèvres.

Alors qu'il s'était enfoncé jusqu'au cou dans la vase, le gnome parut.

– Tire-moi de là ! cria le charbonnier.

– C'est donc le second de tes vœux, dit le gnome. A travers ses doigts, il poussa un sifflement strident et, en quelques minutes, six gnomes l'entourèrent. A toute allure, avec leurs petites haches, ils abattirent un arbre qui tomba juste à côté du charbonnier. Celui-ci s'y agrippa puis se hissa dessus et put ainsi regagner le sentier à quatre pattes. Lorsqu'il se retourna, les gnomes avaient disparu mais il avait toujours sa pépite dans la main. Frissonnant et crotté, il reprit son chemin. En cours de route, il se sécha et retrouva sa bonne humeur.

En ville, il trouva sans peine un bijoutier et entra dans son magasin. Le bijoutier était un homme élégant, vêtu de blanc et portant des lunettes cerclées d'or. Les sourcils froncés, il examina l'énorme pépite d'or, puis regarda le charbonnier tout boueux. Après avoir pesé la pépite, il dit à son client d'attendre un instant et passa dans l'arrière-boutique d'où il appela la police. Une demi-heure plus tard, le charbonnier était emmené au commissariat.

– Tu vas nous dire immédiatement où tu as volé cet or, dit un gros brigadier, d'un ton paternel.

Et c'est ce que répéta le commissaire une heure plus tard, mais sur un ton beaucoup moins paternel.

– Je ne l'ai pas volé ! s'écria le charbonnier au désespoir. Je l'ai reçu d'un gnome.

– D'un gnome, oui, bien sûr ! dit le commissaire qui, de sa vie, n'avait vu de gnome, car il avait mauvais caractère. Et, reprit-il, voici plus de mille ans qu'on n'a pas trouvé la moindre paillette d'or dans ce pays ; cela n'empêche pas le monsieur que voici de nous raconter des histoires ! Qu'on le boucle !

Durant les jours qui suivirent, le charbonnier fut soumis à bien d'autres interrogatoires. Il reçut toutes sortes de menaces, puis en fin de compte, fut examiné par un médecin qui put seulement diagnostiquer que cet homme était obsédé par les gnomes. Or tous ces gens-là n'avaient jamais vu de gnome, car leur âme n'était pas pure. Entre-temps, la pépite d'or avait été enfermée dans le coffre-fort municipal. Au bout d'une semaine, le charbonnier, qui n'en pouvait plus, souffla dans sa flûte. Après deux heures d'attente le gnome reparut.

– Ma femme et mes enfants meurent de faim, dit le charbonnier, il faut que je sorte d'ici.

– C'est donc ton troisième vœu, dit le gnome. A vrai dire, il compte pour deux, car je me suis occupé de ta femme et de tes enfants.

Cette nuit-là, le gnome se rendit chez un avocat de la ville, qui avait un gnome de maison. Dès le lendemain, l'avocat s'en fut trouver la police et obtint que le charbonnier soit relâché, faute de preuves. Mais l'or resta provisoirement en lieu sûr, dans le coffre-fort municipal, en attendant qu'on signale un vol dans la région.

Enchanté de sa liberté retrouvée, le charbonnier se remit au travail. Jamais la forêt ne lui avait paru aussi spacieuse et aérée qu'après sa cellule étouffante, et il se sentait pleinement heureux et satisfait quoiqu'il pensât souvent à l'or.

A partir de ce moment, tout s'arrangea pour le mieux. D'abord, un riche étranger acheta, au double du prix habituel, tout le charbon de bois de la forêt. Puis ce même homme proposa au charbonnier de l'engager comme contremaître. Il lui donna une charmante maison à la lisière du bois et toute proche de l'école. Le charbonnier gagnait beaucoup plus d'argent qu'auparavant et n'avait plus de soucis.

Quelques mois plus tard, il rencontra le gnome dans la forêt.

– Eh bien, dit celui-ci, on t'a rendu ton or ?

– Pas encore, répondit le charbonnier. Il paraît que, dans ce pays, c'est un crime de posséder de l'or. Mais je suis débarrassé de mes soucis.

– Tu vois bien que j'avais raison, dit le gnome. Et il disparut dans les buissons.

Légendes des Gnomes

2

Il y a bien longtemps, une famille vivait dans le sombre enchevêtrement des poutres d'un moulin à vent, au nord de la Hollande. Le meunier la connaissait bien. Un jour, il avait même sauvé la petite femelle qui risquait d'être écrasée par les meules. En échange, le gnome veillait à éviter les incendies en annonçant en temps utile, la tempête et la pluie afin que le meunier pût caler les ailes du moulin qui, sans cela, se seraient mises à tourner follement, risquant de provoquer le feu.

Si dans la famille du meunier, quelqu'un tombait malade, le gnome venait le voir, posait sur son front sa toute petite main ridée et laissait en partant des herbes qui, presque toujours, guérissaient.

Bref, au moulin, tout allait pour le mieux, à la fois physiquement et financièrement. C'était d'ailleurs tout naturel, car le meunier et sa femme étaient intelligents, travaillaient d'arrache-pied et avaient de gentils enfants.

Mais certaines maisons du voisinage étaient habitées par des gens bêtes et, surtout, paresseux, avec des femmes qui jetaient l'argent par les fenêtres. Ces voisins envieux répandaient le bruit que le meunier s'occupait de magie noire et que c'était la raison de sa prospérité. Dans le bon vieux temps, ce genre de calomnie pouvait avoir de très graves conséquences pour celui qui en était victime. Mais les petits et les gros fermiers des environs n'y prêtaient guère attention ; ils savaient que c'était faux

et même, l'un d'entre eux avait un gnome chez lui.
Dans une de ces familles malveillantes vivait une
petite fille de onze ans, aux tresses couleur de paille.
C'était presque invraisemblable que des parents
aussi bêtes et bornés aient pu avoir une fille pareille,
mais ce sont des choses qui arrivent parfois.
Elle connaissait tous les animaux et toutes les plantes
et avait beaucoup de patience et de gentillesse. Plus
tard, elle serait très belle, cela se voyait. Elle entendait
raconter toutes ces calomnies mais, pour elle,
il ne faisait aucun doute que des gnomes habitaient
dans le moulin et que la magie noire n'y entrait pour
rien. Elle aurait tout donné pour avoir chez elle, ne
fût-ce qu'un seul gnome, mais les gnomes avaient
négligé sa maison.

    Et voilà pourquoi, dans la vieille école du village,
avec l'aide d'un jeune instituteur romantique, elle
modela un gnome très réussi. Un potier voisin eut la
bonté de le cuire dans son four, puis elle peignit
son bonnet pointu, en bleu (à tort bien sûr), en rouge
son sarrau, en vert son pantalon et ses bottes. Après
quoi, elle le posa parmi les fleurs de son jardin,
devant une petite brouette en bois dont il tenait les
mancherons. Naturellement, les gnomes du moulin
apprirent tout cela. Ils vinrent voir le modelage et
furent très touchés. En récompense, dorénavant,
une fois par mois, ils apportaient un petit
cadeau à la fillette.

    Avec le temps, sa gentillesse et sa fermeté eurent
une si bonne influence sur ses parents que ceux-ci
devinrent plus généreux et moins arriérés, ce qui leur
permit d'améliorer leur sort.

    Mais, une fois de plus, les autres imbéciles s'y
trompèrent et dirent :

    – Pour s'enrichir, il suffit de mettre dans son
jardin un gnome de terre cuite !

    Ce qui est naturellement, une belle imbécillité,
mais ces légendes ont la vie dure, et c'est de là qu'est
venue la coutume de poser, dans certains jardins,
des nains en terre cuite avec ou sans brouette.

Légendes des Gnomes

3

La ferme était située sur une butte, adossée à une interminable digue. Au-delà, au sud du fleuve, il n'y avait, à perte de vue, que de vastes prairies et des étendues de roseaux avec, ici et là, de petites mares.

On y trouvait des lièvres, des perdreaux, des canards, des courlis, des faisans, des pies de mer, des barges à queue noire, des oies sauvages, des sarcelles, des cygnes, des poules d'eau et il y avait même une loutre. Une famille de gnomes vivait dans le toit de la ferme.

Dès le début de l'hiver, le père gnome et ses deux fils âgés de quatre-vingts ans avaient prévenu les lièvres qu'il se produirait des inondations exceptionnelles et qu'ils devaient déménager. Mais les lièvres les avaient regardés fixement, de leurs grands yeux stupides. Sans tenir compte de ce bon conseil, ils continuèrent à courir après les femelles, à explorer le pays et à se nettoyer les oreilles.

Vers la fin de février, l'eau commença à monter. Il pleuvait depuis plusieurs jours ; les gens furent

obligés de remonter le fleuve et de chercher un refuge dans les prairies et les étendues de roseaux. Le long du fleuve, les haies de roseaux secs et les buissons de ronces brûlées des berges se retrouvèrent, d'un jour à l'autre, sous l'eau. De-ci de-là, dans les terriers froids, quelques levrauts s'étaient déjà noyés. Mais, pour sa part, toute la gent ailée avait pu se sauver. Les lièvres adultes furent repoussés vers des repaires plus élevés, mais lorsque ceux-ci furent à leur tour inondés, les lièvres, pris de panique, se noyèrent. En fait, c'était sans raison aucune car, comme tous les quadrupèdes, ils nagent très bien.

Pour finir, toute l'étendue ne fut plus qu'un immense miroir d'eau d'où émergeaient çà et là une cime d'arbre, quelques plumes de roseaux ou des branches de buissons. Et l'eau montait toujours, elle allait atteindre un niveau comme on n'en avait pas vu depuis vingt-huit ans.

A un kilomètre de la digue se trouvait un petit terrain surélevé qu'on appelait la Queue du balai, parce qu'on croyait que des sorcières y avaient vécu autrefois. Là, huit lièvres blottis les uns contre les autres étaient les seuls survivants d'une population qui en avait compté environ deux cents. Rien ne les protégeait du vent glacial ni de l'œil perçant des oiseaux de proie. Les gnomes avaient été prévenus par les oiseaux aquatiques.

Ils savaient qu'il ne fallait pas mêler les gens à l'histoire des lièvres, car un des valets de la ferme avait un fusil de chasse.

Par chance, ce soir-là, ils virent passer au fil de l'eau la porte d'une clôture en bois emportée par le courant. L'eau arrivait déjà presque à hauteur de la digue. Les gnomes traînèrent cette épave à moitié sur le sol, ils l'alourdirent en fixant sous les planches des morceaux de bois et, à trois heures du matin, ce radeau improvisé était suffisamment émergé pour supporter un poids considérable. Les gnomes le traînèrent dans l'eau et parcoururent ainsi une grande partie de la digue, jusqu'à l'endroit où un vent violent de nord-ouest soufflait en ligne droite vers l'îlot des lièvres. Arrivés là, les gnomes sautèrent à bord et se laissèrent pousser par le vent. Il faisait glacial sur cette surface nue, et les pauvres gnomes se sentaient totalement isolés au milieu des éléments déchaînés.

Pour se réchauffer, ils ramaient tant qu'ils pouvaient à l'aide d'une planche détachée de leur embarcation ; ils cherchaient à accélérer l'allure désespérément lente de ce radeau pesant.

Finalement, au bout de deux heures et demie, ils arrivèrent au Balai de la sorcière. Les lièvres étaient trempés, affamés et très nerveux. Ils parcouraient en zigzag le petit terrain et n'osaient pas sauter à bord. Chaque fois qu'ils posaient la patte sur le radeau, ils reculaient épouvantés et allaient se rassembler, tout recroquevillés et frissonnants, à l'autre bout de leur îlot. Il pleuvait sans arrêt et, comme le vent fouettait l'eau, gnomes et bêtes étaient continuellement arrosés d'écume et de gouttelettes. Pour en finir, le père gnome prit une voix de tonnerre qui domina la tempête et hurla qu'il n'y avait pas de temps à perdre car, quelques heures plus tard, le Balai de la sorcière serait submergé. Alors, une vieille hase se décida et les autres suivirent son exemple. Un vieux lièvre, tout secoué de tics nerveux, fermait la marche. Impossible de remonter contre le vent ce radeau lourdement chargé. Le mauvais temps s'était changé en tempête. Il n'y avait plus rien à faire que de traîner le radeau jusqu'à l'autre rive de l'îlot, puis de se laisser de nouveau pousser par le vent, avec l'espoir d'aborder quelque part. C'était un plan risqué, mais il fallait s'y résoudre. Les lièvres, bien entendu, n'étaient d'aucun secours. Paralysés par la peur, ils frissonnaient et roulaient des yeux épouvantés. Heureusement, l'allure du radeau s'accéléra grâce à la tempête ainsi qu'aux huit lièvres qui prenaient le vent sur le pont.

Lentement, le Balai de la sorcière disparut à l'horizon. On voyait encore scintiller au loin la lumière, de plus en plus petite, de la ferme, havre de chaleur et de sécurité. Autour du radeau, il n'y eut bientôt plus que l'immensité noire de l'eau, crénelée par les vagues. Le vent hurlait. Les gnomes rassemblés fixaient d'un air soucieux l'horizon où le ciel et l'eau se fondaient en une seule masse obscure. Tout le monde était trempé jusqu'aux os et transi.

Enfin, quelques heures plus tard, alors que le jour se levait, la terre surgit. Le radeau, poussé par le vent, heurta une digue routière en construction. C'était un rempart de sable large et sûr qui s'étendait à perte de vue et sur lequel poussaient déjà de l'herbe et du chiendent. Soulagés, les lièvres bondirent à terre et se mirent à dégourdir leurs pattes un peu raides, s'arrêtant sans cesse pour examiner d'un œil effrayé ce territoire nouveau. Ces huit lièvres allaient donner naissance à des petits qui, à leur tour, devaient contribuer à repeupler la région.

Les gnomes s'orientèrent rapidement d'après leurs cartes mystérieuses et déterminèrent le chemin qui devait les ramener vers la ferme. Il fallait le parcourir en plein jour car aucun refuge ni maison de gnome ne permettait d'y passer la nuit. Mais les gnomes savaient comment se dissimuler, si bien que, pendant ce long voyage de près de trente kilomètres, personne n'aperçut ces petits bonshommes rapides, même lorsqu'ils longeaient les fermes ou les maisons. Heureusement, les nuages étaient bas et il y eut des averses de temps à autre.

Vers midi, ils rentrèrent chez eux, prirent un énorme repas et dormirent douze heures d'affilée, sous les couvertures les plus moelleuses du monde.

Légendes des Gnomes

4

C'est une histoire que les gens se racontent volontiers à Charkov. Tatiana Kirillovna Rouslanova habitait à proximité de la ville. Agée de soixante-dix ans, elle avait encore un joli nez droit et de beaux cheveux blancs et brillants, séparés par une raie au milieu. Elle avait été chassée de Moscou par la police secrète, son mari était mort et elle restait sans ressources. Personne n'avait le droit de la prendre à son service et, afin de l'aider à vivre, des amis lui avaient, en secret, donné de l'argent pour acheter une vache.

Elle se mit à exercer une activité qui était mal vue des autorités soviétiques : elle fournissait du lait à dix maisons des faubourgs, dont les habitants auraient dû, autrement, aller s'approvisionner très loin de chez eux, sans d'ailleurs pouvoir trouver un lait aussi frais. Tatiana habitait une petite grange,

au milieu d'un jardin potager et passait toutes ses journées dehors, faisant paître à sa vache l'herbe des talus.

Des éleveurs d'une vache unique, on en trouve des centaines de milliers en Russie. Leur importance économique est telle que le régime préfère fermer les yeux.

Tatiana se consacrait donc à sa vache, la chérissait et la gardait près d'elle, la nuit, dans un coin de la grange, face à l'angle où les icônes étaient cachées sous un voile noir. Ces icônes, elle avait pu les emporter secrètement de sa grande maison de Moscou et elle priait tous les jours devant elles. La vache donnait largement ses vingt litres quotidiens, mais il y avait des périodes de six semaines où elle était à sec parce qu'elle attendait un veau (un paysan compatissant la faisait couvrir chaque année par son taureau), et il fallait tenir compte de cette interruption dans le calcul des bénéfices qui permettaient de subsister tout au long de l'année. Tatiana avait été une dame élégante, mais elle acceptait son sort et tâchait de s'en tirer de son mieux. Elle changeait tous les jours d'itinéraire afin de trouver la meilleure herbe pour sa vache, mais au retour, non loin de chez elle, elle passait près d'un bosquet d'aulnes très touffus, au milieu desquels quelques blocs erratiques étaient dissimulés par les feuillages. Sous ces blocs habitait une famille de gnomes avec des enfants presque adultes. Et, chaque jour, Tatiana s'arrêtait à la hauteur du bosquet, sortait de sous un buisson un joli petit pot de terre, pas plus grand qu'un demi-pot à confiture, y versait un peu de lait de sa vache, puis le remettait à sa place. Ce geste, elle l'accomplissait par tous les temps, la chaleur la plus torride, le froid le plus glacial, par temps de neige, de pluie ou de brouillard. Et, immanquablement, le petit pot décoré de peintures mystérieuses l'attendait le lendemain à la même place, vide et bien lavé.

Mais un soir, en fermant les volets de sa grange, Tatiana glissa et se cassa la cheville. C'est tout juste si elle eut la force de se traîner à l'intérieur. Le lendemain, elle put encore traire sa vache, mais après cela, la pauvre bête affamée se mit à meugler, bien que Tatiana lui eût donné tout le pain qui lui restait. Le jour suivant, une ambulance s'arrêta devant sa porte. L'un des clients de Tatiana avait en effet prévenu le service de santé. Un médecin grognon l'examina rapidement et, avec l'aide d'un infirmier, il l'emmena sur-le-champ à l'hôpital. Elle supplia les deux hommes de s'occuper de sa vache, mais ils haussèrent les épaules et s'en furent. Craignant la police, aucun de ses voisins n'osa intervenir.

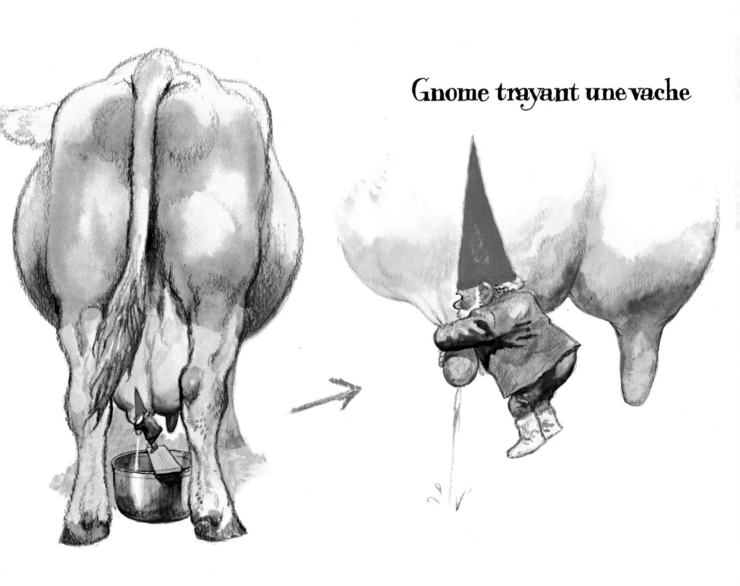

Gnome trayant une vache

A l'hôpital, Tatiana pleurait sur le sort de sa vache. Tous ceux qu'elle appelait à l'aide secouaient la tête et haussaient les épaules. Il fallut plâtrer sa cheville et on la garda huit semaines, parce que c'était une fracture compliquée.

La pauvre femme se rongeait au sujet de sa vache, mais, au bout de quelque temps, des rumeurs lui parvinrent sur ce qui se passait chez elle. Le lendemain de l'accident, à peine le soleil était-il couché, qu'on vit la porte de la grange s'ouvrir. La vache sortit alors et, sans l'ombre d'une corde, elle suivit un gnome qui la guida vers les meilleurs pâturages le long du chemin. Elle ne rentra qu'à l'aube. Entre-temps tous les pots à lait des maisons que Tatiana avait l'habitude de livrer avaient été ramassés. L'argent du lait était payé d'avance. Dans la grange, la vache fut traite par deux gnomes costauds et, juste avant le lever du soleil, tous les pots étaient parvenus à destination. Aussi, lorsque Tatiana, toujours plâtrée, ragagna sa grange en boitillant, elle

pleura de nouveau, mais cette fois c'était de joie et de reconnaissance. Sa vache était là, rayonnante de santé et, à côté du vieux samovar, sur la table de bois, se trouvait l'argent de huit semaines et deux jours de lait. Mais le soir venu, en se couchant, elle se demanda avec inquiétude si, le lendemain matin, son plâtre lui permettrait de s'éloigner de la maison.

– Ce ne sera pas nécessaire, dit une voix derrière elle. Quand elle se retourna, elle aperçut cinq gnomes au chevet de son pauvre lit.

– Nous viendrons chercher la vache, dit le plus vieux, tout en examinant d'un œil critique sa jambe plâtrée. Il n'est pas question que tu t'éloignes de chez toi. Dans six semaines, nous verrons. Tu permets que nous remplissions aussi notre petit pot ?

Les quatre autres partirent immédiatement à toutes jambes pour collecter les pots que les clients préparaient le soir, tandis que le vieux gnome, émettant des sons gutturaux, emmenait la vache en promenade.

Légendes des Gnomes

5

Dans les périodes de longue sécheresse, un incendie de forêt et de lande est une catastrophe pour les gens, les bêtes, les gnomes, pour la nature entière. Cela, nul ne l'ignore.

Mais tout le monde ne sait pas que les feux de cheminée qui provoquent de grands incendies sont infiniment plus fréquents. Les gardes-chasse et les forestiers trouvent sans cesse des traces de petits brasiers mystérieusement éteints, souvent à la limite d'un bois ou d'une lande particulièrement inflammables.

On ne sait pas au juste comment s'y prennent les gnomes pour les éteindre. Parfois en allumant un petit contre-feu (système pratiqué dans la prairie), parfois aussi en creusant le sol à toute allure pour y trouver un filet d'eau qu'ils s'empressent ensuite de pomper. Mais nous n'en savons pas beaucoup plus au sujet de leurs différentes techniques.

Légendes des Gnomes

6

Le vieil écrivain sentait sa fin prochaine. Il habitait aux environs de Lillehammer en Norvège, au flanc d'une colline, une hutte sans étage, aux murs tapissés de livres.

Devant la large fenêtre qui dominait la vallée se trouvait une grande table couverte de papiers, de recueils de poèmes, de revues, d'encriers, de plumes, de bougies et de beaucoup de livres entassés en piles instables.

Un soir, l'écrivain se leva vers l'heure du coucher du soleil et alla s'asseoir à table. Il se mit à contempler la vallée paisible et le lac lointain, songeant aux longues années tranquilles qu'il avait passées là, à tous les livres qu'il avait écrits, se disant que tout cela serait bientôt fini. Ce soir-là, un gnome bondit sur la table et s'assit en face de lui, les jambes croisées, ce qui enchanta l'écrivain.

– Raconte-moi encore une histoire, dit-il au vieux gnome, qui venait de soulever sa montre des deux mains et l'approchait de son oreille. Je ne peux même plus réfléchir, je suis trop vieux.

– Je n'en connais plus aucune, dit le gnome, toi tu as écrit toutes les histoires de ce pays. C'est même d'elles que tu tiens ta richesse !

– Encore une. Mes mains sont si lasses que c'est à peine si je peux encore écrire.

L'écrivain prit tout de même un crayon et un bloc-notes.

– Entendu dit le gnome. Il se retourna et regarda le paysage. Tu vois là-bas, dans le lointain, ce saule pleureur au bord du lac ? L'extrémité de ses branches pend toujours dans l'eau. Je vais te raconter comment les choses en sont arrivées là.

« Il y a très longtemps, les trolls de la montagne échangèrent leur fille contre celle de riches fermiers. Les malheureux parents ne comprenaient pas comment leur fille pouvait avoir soudain la peau si brune et des yeux sombres si perçants. Pendant ce temps, au fond des bois, les trolls contemplaient avec ravissement les yeux bleus, les cheveux blonds et la peau douce de l'enfant volée. Gauchement, ils dansaient de plaisir autour d'elle ; la fille des trolls devint une noiraude turbulente, qui ne faisait que bêtises et méchancetés et qui n'aimait personne.

« Mais, dans la forêt, la fille du fermier devenait de jour en jour plus jolie et plus charmante en dépit de toute la rudesse qui l'entourait. Lorsqu'elle eut dix-sept ans, ce fut Olaf, un valet de ferme costaud, qui la découvrit. (Olaf dormait dans la même étable que moi, au fond de la vallée.) Il ramenait de la montagne quelques vaches égarées dans un pâturage d'hiver lorsqu'il vit la jeune fille qui balayait le sol à l'entrée d'une colline de trolls, sous la surveillance d'une vieille. Le soir tombait déjà et Olaf se dit que jamais il n'avait vu créature plus belle et plus rayonnante. Il avait vingt ans et tomba aussitôt amoureux, mais, lorsqu'il voulut s'approcher, la vieille mère troll poussa la jeune fille à l'intérieur et claqua la porte au nez d'Olaf.

« Rentré à l'étable, Olaf m'appela à son secours

et, la nuit même, nous nous mîmes en route. De la butte des trolls, nous vîmes sortir un filet d'eau, comme on en trouve dans toutes les demeures de trolls. A l'aide de ma baguette de sorcier, je cherchai de l'autre côté de la butte, l'origine souterraine de cette eau et, Olaf et moi creusâmes alors le trou. Lorsque nous rencontrâmes la nappe d'eau, Olaf me mit dans un sabot, et c'est ainsi que j'entrai, par la voie souterraine, dans la demeure étouffante des trolls.

« Je me tapis dans un coin sombre avec mon sabot et j'attendis que les trolls partent se livrer à leurs méfaits dans la forêt. Ils enfermèrent la jeune fille dans une tanière latérale, puis s'en allèrent en bouclant la porte principale au loquet. La petite et moi restions donc seuls dans ce repaire sombre et nauséabond. Lorsqu'ils eurent disparu, je libérai la jeune fille et lui dis :

« Tu n'es pas l'enfant des trolls ! quelqu'un t'attend dehors que tu trouveras bien plus à ton goût !

« Stupéfaite, elle hésita, puis me suivit malgré tout. Une fois dehors, elle vit Olaf, le géant blond, et tomba aussitôt amoureuse de lui. A nous trois, nous partîmes à toute allure pour la ferme. Mais nous étions encore au fond des bois quand les trolls s'aperçurent qu'on les avait volés. Ils nous rattrapèrent, battirent Olaf comme plâtre et ramenèrent la petite chez eux.

« Pour ma part, j'avais assisté à la scène, impuissant, mais une semaine après, nous fîmes un nouvel essai. Cette fois, Olaf avait emmené un cheval du fermier. De nouveau, je pénétrai chez les trolls par mon ruisseau souterrain. Mais les trolls avaient laissé chez eux leur vieille mère, afin qu'on ne vienne plus voler la jeune fille.

« Lorsque la vieille, qui préparait un bol de panade, se retourna une seconde, j'en profitai pour jeter dans le bol une grosse pincée d'opium. Dix minutes après, elle ronflait comme un cachalot. J'avais fait signe à la jeune fille de ne pas toucher à la panade.

« Nous voilà repartis, à fond de train, pour la ferme. A cheval, c'était beaucoup plus rapide et, pourtant, les trolls nous rattrapèrent juste à la lisière de la forêt. Ils battirent Olaf, emmenèrent la jeune fille ainsi que le cheval, naturellement. Si fort que fût Olaf, il n'y avait rien à faire, les trolls étaient plus forts. Trois semaines plus tard, il se mit à neiger.

« Cette fois, j'avais persuadé deux rennes de m'accompagner. Une fois dans la tanière des trolls, je dus attendre au milieu de la nuit, car cette fois, le père et la mère trolls montaient la garde. Mais, pour finir, je mis tant d'opium dans leur soupe qu'ils s'endormirent tous les deux.

« Avec un petit traîneau, les rennes nous emmenèrent rapidement, par des chemins secrets, jusqu'au lac. Les trolls étaient sur nos traces mais, grâce à la tempête de neige, nous pûmes arriver jusqu'au bord du lac. Je connaissais la cachette d'une vieille barque de pêcheurs et nous la découvrîmes avant que les trolls ne nous eussent rattrapés. Nous dételâmes le traîneau, remerciâmes les rennes et les renvoyâmes à leur troupeau. Olaf et la jeune fille se hâtèrent de monter dans la barque. Pour ma part, je me dirigeai à skis vers la maison. A moi, il ne pouvait rien arriver. Hors de leur tanière, les trolls n'ont aucun pouvoir sur nous. C'était juste avant le lever du jour ; les derniers flocons de neige tombaient, le ciel s'éclaircissait et se teintait à l'est d'une large bande jaune et rose.

« La barque s'était déjà éloignée sur le lac quand les trolls atteignirent l'embarcadère. Ils se mirent à jurer et à hurler, mais Olaf ramait de toutes ses

forces vers l'autre rive et ils ne pouvaient plus
l'atteindre. Il ne leur restait d'ailleurs pas beaucoup
de temps. En effet, dès que le soleil brillerait, ils
seraient changés en blocs de pierre. Le plus énergique
des trolls ramassa un gros rocher et le lança en
direction des fugitifs, mais sans les toucher. Toutefois,
le rocher tomba si près de la barque que celle-ci se
retourna. Prise dans les remous, la jeune fille coula

et se noya. Olaf plongea et passa des heures à la
chercher, mais en vain. Désolé, il finit par rejoindre
le rivage à la nage.

« Il fut, dès lors, inconsolable. Chaque jour, il
se rendait au bord du lac et restait des heures
immobile à la même place, les yeux fixés sur l'eau.
Plus jamais il ne regarda une autre fille.

« Même devenu vieux et n'ayant plus besoin de

travailler, il retournait sans cesse au même endroit
et il y passait la journée entière. Des branches finirent
par lui sortir de la tête et des racines lui vinrent
aux pieds. Alors, il y resta pour toujours.

« C'est lui, le saule pleureur que vous voyez
encore aujourd'hui. Ses branches cherchent dans
l'eau si elles ne trouvent pas la jeune fille. »

Le gnome se retourna, le vieil écrivain était
immobile, sa tête blanche profondément inclinée sur le
carnet de notes posé sur la table. Il était mort.

Le gnome sourit et se dirigea vers lui. Il lui
ferma les yeux et lut ce qu'il avait écrit. les derniers
mots étaient : « Alors, il y resta pour toujours. » Et
le gnome retira le carnet de sous la vieille tête,
prit doucement le crayon entre les doigts raides et
écrivit les dernières phrases de l'histoire.

Légendes des Gnomes

7

Une chapelle en ruine se dresse au nord-ouest de Vastervik, en Suède. Le petit cimetière ne contient plus que quelques pierres tombales recouvertes d'herbes folles et de mousse. En grattant, on peut distinguer, sur l'une d'elles, les paroles suivantes :

Ici repose
SIGURD LARSSON
Né le 24e jour du mois de la Fenaison 1497
Mort le 30e jour du mois d'été 1550

Seuls les gnomes savent que, sous cette dalle, aucun corps ne repose.

Sigurd Larsson était un riche fermier qui possédait des terres immenses et s'enrichissait d'année en année. C'était un homme méchant, au tempérament cruel ; il était grand, massif, avec un visage rude et une voix rugueuse, qui dominait toutes les autres. Impitoyable envers ses valets, il les châtiait à coups de fouet pour la moindre peccadille. Quant aux petites vachères, pour les punir, il leur faisait passer une nuit à la belle étoile ou les chassait à coups de poing dans la grange. C'était miracle qu'il eût encore des personnes à son service, mais si l'une ou l'autre prenait la fuite, le redoutable Larsson veillait à ce qu'elle ne retrouve aucun emploi à des lieues à la ronde.

Dans la grande ferme chacun accomplissait en silence sa tâche quotidienne et s'efforçait de rester à distance du maître. On avait cessé depuis longtemps de fêter la Sainte-Lucie aux chandelles, du jour où le fermier avait arraché les bougies des couronnes que les jeunes filles portaient sur la tête et les avait piétinées. Il tourmentait de manière diabolique ces gens sans défense. Il cachait des pièces d'or afin de prendre sur le fait un prétendu coupable. Il glissait les saletés sous les tapis et y amenait ensuite, en la tirant par les cheveux, la petite bonne qui avait fait le ménage. Il n'avait pas d'enfant, sa femme était maigre, craintive et toujours silencieuse depuis le jour où, d'un coup sur la tête, il lui avait fait perdre un œil.

Une des occupations favorites de Sigurd Larsson était de se cacher, avant le lever du soleil, dans sa Kupollusthus (pavillon vitré à coupole, situé au centre du domaine) et d'espionner ses valets de ferme occupés dans les champs, afin de les punir lorsque, à son avis, ils n'avaient pas assez trimé. Mais il n'avait pas de plus grande joie que de relire ou d'additionner ses reconnaissances de dettes. Il en avait une armoire pleine, qui provenaient de petits fermiers, de parents pauvres et de villageois des environs. Le soir, il écrivait des lettres – car, autrefois, un pasteur lui avait appris à lire et écrire –, convoquant ces malheureux pour les contraindre à le rembourser, les tracasser et leur faire signer de nouvelles créances à des taux encore plus élevés.

Ainsi s'écoulait la vie dans ce domaine immense qui, vu de l'extérieur, semblait formé d'un bel ensemble de bâtiments de couleurs gaies et de terres riches, ondulant au soleil, tandis qu'à l'intérieur régnaient la tristesse, la rancune et l'amertume. Aux écuries, dans les champs, dans les dortoirs du personnel, on marmonnait des malédictions et des plaintes, mais on ne pouvait se fier qu'à ses intimes, car il y avait des traîtres. Parmi les familiers du lieu se trouvait le gnome de la ferme.

Soir après soir, patiemment, il écoutait tantôt l'un tantôt l'autre énumérer ses doléances et donnait un conseil là où il le pouvait. Parfois, il allait trouver Sigurd Larsson et essayait de plaider la cause de

l'un ou de l'autre et de l'attendrir, mais le fermier lui riait au nez, on lui jetait à la figure un encrier ou un bol de café.

Le gnome, toujours très digne, se contentait de dire : « Tu ne perds rien pour attendre. Sigurd, l'heure sonnera où tu viendras à genoux me supplier de te sauver ! » Alors le fermier, fou de rage, se ruait sur le gnome mais celui-ci s'arrangeait toujours pour disparaître dans une fente du mur.

Les années passèrent. Le grand corps solide de Larsson déclina peu à peu. Parfois, il se trouvait las et ressentait dans les bras et les jambes des douleurs qu'il n'avait jamais connues. Il commença par réagir par des jurons ou en montrant, par ses performances physiques, qu'il était toujours le plus fort. Mais, au bout de quelques mois, il commença à maigrir et le mal empira. Il fit venir un chirurgien, puis un autre, puis un médecin et, pour finir, un rebouteux. Cependant, si tous prenaient un air avisé, aucun ne pouvait rien pour lui, ce qui ne les empêchait pas de lui coûter cher.

Au bout de neuf mois, il avait le regard cave, le ventre creux, les bras et les jambes pas plus gros que de jeunes bouleaux et il ne pouvait faire dix minutes de marche sans être obligé de se reposer. Finalement, il partit pour Stockholm et Uppsala, mais les professeurs hochèrent la tête et dirent que dans son cas, la science restait impuissante.

Depuis un mois, le gnome ne s'était plus montré à Sigurd. Un soir, il apparut sans bruit, alors que le fermier, découragé mais toujours haineux, comptait son argent et ses reconnaissances de dettes.

– Sigurd, dit le gnome, tu vas mourir !

Brusquement, le fermier leva la tête et fixa le petit bonhomme. Un instant, il se demanda s'il n'allait pas le tuer en lui jetant un livre à la tête, car ce soir-là le gnome, insouciant, s'était assis au bord de la table, mais le fermier lui répondit :

– Qu'en sais-tu ?

– Je sais tout, dit le gnome, je sais même quel est ton mal et je connais l'herbe qui pourrait te guérir.

Il sauta aussitôt de la table et disparut. Une semaine plus tard, il revint et dit :

– Un diable ronge ton système nerveux, si bien que tes muscles se dessèchent. Je parie qu'en enfer on t'attend avec impatience pour rôtir ton âme noire.

– Attends voir ! cria le fermier, mais le gnome était déjà parti.

Une semaine plus tard, il revint encore et dit :

– J'ai une potion magique, qui chasserait ce diable à tout jamais. Mais je ne te la donnerai pas.

Lorsque le gnome revint pour la troisième fois, Sigurd se jeta à genoux et supplia :

– Viens à mon secours, et tu auras tout ce que tu voudras.

Il était devenu squelettique, et avait à peine la force d'aller d'une chaise à l'autre. Mais le gnome secoua la tête et dit :

– Le jour où le monde se verra délivré de toi sera un jour béni, mais il faut d'abord que tu souffres encore davantage.

Peu de temps après, cette maladie pernicieuse arrêta les rouages du cœur de Larsson, mais pas tout à fait. Un matin, il ne se réveilla pas. Le barbier fut appelé et constata qu'il était mort. Le curé vint prier auprès du corps, pour le salut de l'âme de Sigurd. Chacun poussa un soupir de soulagement, mais le fermier n'était mort qu'en apparence. Son cœur battait tellement au ralenti et son souffle était si léger que cela avait échappé à l'attention du barbier. Mais il entendait tout et y voyait encore vaguement par une fente entre ses paupières. Pour le reste, il était totalement paralysé. Pendant un jour et demi il resta dans son cercueil ouvert, dans la chambre mortuaire, et il lui fallut entendre les malédictions des valets et des filles de ferme en passant près de lui et voir les grimaces et les pieds de nez qu'ils lui faisaient.

La veille de l'enterrement, le soir, le gnome vint le trouver dans son cercueil et lui dit :

– Tu entends ce bruit dans la pièce voisine ? C'est ta femme qui, avec ton premier valet, a fracturé la porte de ton armoire et déchire toutes tes reconnaissances de dettes.

Le lendemain matin, Sigurd, le cœur toujours battant d'une angoisse mortelle, vit soudain disparaître la lumière du jour parce qu'on était en train de visser le couvercle de la bière. Puis il entendit le corbillard cahoter sur les pavés. Il aurait voulu hurler et frapper, mais il était impuissant, absolument paralysé. Un moment plus tard, il entendit le choc sourd des pelletées de terre sur le cercueil, tandis que la voix du pasteur et le murmure des assistants allaient s'affaiblissant. Sigurd n'avait jamais éprouvé pareille frayeur. Pendant que le fossoyeur refermait la fosse, les gens qui s'en retournaient chez eux se disaient :

– C'était une canaille. Quelle chance qu'on en soit débarrassé !

Au beau milieu de cette première nuit, huit gnomes se réunirent autour de la tombe. Creusant à toute allure avec leurs petites pelles, ils déblayèrent la terre au-dessus du cercueil et ouvrirent le couvercle. Le gnome de la ferme prit dans sa poche un flacon et versa quelques gouttes de son contenu entre les lèvres bleues du fermier. Celui-ci sentit courir dans ses veines une force merveilleuse et ouvrit les yeux.

– Voici l'élixir qui guérit, dit le gnome de la ferme. Avant que nous te soignions, promets-nous de ne jamais revenir dans le pays ! Trois battements de paupières si c'est oui.

Sigurd Larsson fit ce que le gnome ordonnait. Celui-ci versa de nouveau quelques gouttes entre ses lèvres.

– Tu seras bûcheron dans une forêt à deux cents kilomètres d'ici. Promets-le moi !

Sigurd obéit. Son cœur battait plus vite, son sang circulait. Il pouvait déjà lever une main.

– Cet élixir, tu en auras besoin ta vie durant, dit le gnome. Nous demanderons à nos frères de la forêt de t'en donner toutes les trois semaines. Mais ne t'avise jamais de revenir en cachette, car cette fois, tu mourrais pour de bon !

Trois jours après l'enterrement, une pierre portant une inscription fut posée sur la tombe que les gnomes avaient refermée avec soin.

A la ferme, on oublia bientôt les coups et les mauvais traitements. Tout le monde s'épanouit et travailla dans la joie, bien plus efficacement que par le passé. La femme de Sigurd se révéla être une bonne patronne en qui tout le monde avait confiance. On avait repris l'habitude de rire et les jeunes filles se mirent à fêter sans crainte la Sainte-Lucie ainsi que beaucoup d'autres fêtes.

La Kupollusthus ne servait plus à espionner : elle abritait au contraire de joyeuses soirées, le samedi, et de longs dimanches, où l'on servait avec abondance nourriture et boisson.

Légendes des Gnomes

8

Le nord de la Sibérie est recouvert par la taïga, une immense forêt, vaste comme la moitié de l'Europe. Ses chaînes de montagnes ne furent découvertes qu'en 1926 et on y trouve encore régulièrement des mammouths conservés intacts par la glace.

L'été, on y connaît des températures tropicales, avec des myriades d'insectes qui volent en tourbillons. Il n'y fait alors jamais tout à fait nuit, tandis qu'en hiver, il ne fait jour que pendant trois heures, avec une température de 55° sous zéro et une lumière nordique qui est parfois d'une beauté surprenante. Cette région est habitée par des animaux à fourrure tels que le renard, le petit écureuil gris, le carcajou, le lynx, l'ours, le vison, le loup ainsi que les rennes, les chevreuils et les poneys sauvages à longs poils. Des gnomes taillés à la serpe et très endurcis y vivent également et leurs yeux perçants ne sont pas toujours bienveillants, si on a le malheur de croiser leur chemin. Ils s'amusent surtout à tourmenter les chasseurs de fourrures que leur métier oblige à entreprendre des voyages de plusieurs semaines dans la taïga. Les gnomes brouillent les traces des animaux sauvages, enlèvent ou déplacent les points de repère, imitent de manière trompeuse les cris d'animaux et avertissent même les bêtes au moyen de petits miroirs quand un chasseur les suit à la trace.

Un gnome encore plus machiavélique que les autres, vivait au nord d'Oimiakon. C'était un gnome géant. Pieds nus, il mesurait vingt et un centimètres et demi ; dans une forêt aussi vaste que la Touraine, tout le monde tremblait devant lui.

Lorsque des chasseurs se trouvaient sur son domaine, il allait les trouver et prélevait comme tribut les plus belles peaux qu'ils avaient. Lorsqu'ils se montraient récalcitrants, le gnome menaçait de frapper de maladie le renne, dont leur vie dépendait, ou de le conduire vers un précipice. Pour finir, ses agissements déplurent au roi des gnomes.

Un flot de plaintes parvenaient à la cour et le roi décida de donner une leçon à cet insupportable sujet. Il convoqua quelques gnomes vieux et sages qui se réunirent jour et nuit. Ensuite, le plus jeune et le plus malin d'entre eux fut envoyé en reconnaissance. Il s'en fut d'abord chez les poneys sauvages et parla à l'étalon qui était le chef du troupeau. Une heure plus tard, les quinze poneys les plus rapides filaient à toute allure vers le sud et s'y déployaient en un vaste demi-cercle. Aussitôt que l'un d'eux apercevait un chasseur qui, venant du sud, s'apprêtait à pénétrer dans le domaine du méchant gnome, il devait prévenir les autres. Pendant ce temps, le chef étalon se dirigeait avec le jeune gnome vers l'endroit où perchent les chats-huants. De là, ils allèrent vers le demi-cercle de poneys et le hibou les accompagnait en volant au-dessus de leurs têtes. Il leur fallut attendre deux jours et demi avant qu'un poney leur annonce qu'un chasseur monté sur un renne se dirigeait vers le nord. Les poneys furent remerciés et renvoyés chez eux, tandis que l'étalon, le hibou et le jeune gnome suivaient la trace du chasseur dans la neige. Ils attendirent jusqu'à ce qu'il eût dressé sa tente pour la nuit. Alors le gnome se montra et lui parla. L'homme ne demandait pas mieux que de les aider à punir le méchant gnome, dont il avait déjà entendu raconter les méfaits. Sur ce, l'étalon ramena le gnome à la cour et les choses en restèrent là.

Le lendemain soir, alors que le chasseur avait
de nouveau dressé sa tente, le méchant gnome se
montra et exigea une peau de bête.

– C'est bon, dit le chasseur, voici la plus belle
de toutes : un vison d'une qualité exceptionnelle.

Le gnome, que tant de bonne volonté rendait
méfiant, grogna un peu mais prit tout de même la peau
et disparut dans les bois.

Deux jours plus tard, repassant par hasard au
même endroit, il s'arrêta, stupéfait ; aucune erreur
possible, une superbe peau de renard était accrochée
à une branche, juste au-dessus du lieu où se trouvait
la tente. Pendant une bonne demi-heure, le gnome

resta parfaitement immobile, fixant cette peau à distance ; par trois fois, il tourna autour d'elle en larges cercles, l'observa encore et encore sans rien lui trouver de suspect. Sans doute le chasseur avait-il oublié de décrocher une de ses peaux. C'était une aubaine. Le gnome n'avait pas remarqué le chat-huant qui, de loin, l'observait, collé contre le tronc d'un sapin très touffu. Il se mit à grimper à l'arbre, mais le tronc était parfaitement lisse sans branches latérales et le gnome devait s'y agripper avec ses bras et ses jambes. Lorsqu'il fut à mi-hauteur, le hibou s'envola sans bruit, effleura le gnome et lui prit son bonnet. Le voleur volé se mit en rage et jura tant qu'il put. De colère, il se laissa tomber d'un coup sur le sol, mais il était trop tard ; le hibou, avec le bonnet dans son bec, volait à tire-d'aile au-dessus des arbres vers la cour du roi. Il gelait par quarante degrés au-dessous de zéro et la nuit polaire était glaciale pour le crâne nu du gnome. Il n'avait d'autre recours que de rabattre le col de sa veste sur sa tête et de rentrer chez lui. Vert et jaune de dépit, il ne sortit plus de la semaine, ce qui n'arrangea pas sa pauvre femme qu'il terrorisait.

Évidemment, avec toutes les fourrures qu'il avait chez lui, il aurait eu largement de quoi se faire un bonnet, mais celui d'un gnome est irremplaçable, aussi se fit-il une obligation de le récupérer. Et puis, s'il était méchant, il n'était pas bête pour un sou et comprenait que cette histoire de bonnet dissimulait quelque chose. Pourtant, il fallut quinze jours pour que, coiffé de deux fichus de sa femme, il trouve le courage de se rendre chez le roi. Il avait maigri et se sentait humilié.

Il fut assez fraîchement accueilli et dut attendre trois heures avant d'être reçu par le roi et les sages. Le roi était assis sous un dais ; il était plus petit que le méchant gnome, mais il rayonnait d'une autorité incontestable. Le bonnet se trouvait à ses pieds.

– J'espère que cela te servira de leçon, Kostia, dit-il ; nous ne sommes pas des saints, mais ta

conduite dépassait les bornes. Tu retrouveras ton
bonnet si tu rends tes peaux au premier chasseur
que tu rencontreras. C'est compris ?

    — C'est compris, bredouilla Kostia.

    Du bout du pied, le roi lança le bonnet
entre les bras de Kostia et dit :

– Remets-le une fois que tu seras sorti. Je te permets de te retirer.

Le gnome géant se sentait tout petit. Il se retourna, prit la porte, quitta le palais et fit ce qu'il avait promis car les gnomes, qu'ils soient bons ou mauvais, tiennent toujours parole.

Légendes des Gnomes

9

C'était la fin du mois de janvier. Il soufflait un vent violent de nord-est et, la nuit, le mercure descendait à trente degrés au-dessous de zéro. Tout était gelé dans les champs et les bois, aussi les occupations extérieures des gnomes étaient-elles extrêmement réduites, à moins que quelqu'un n'eût besoin de secours.

Dans l'abri chaud et sûr des maisons souterraines, on se livrait à des jeux et on se racontait des histoires. Imp Rogerson en inventait toutes les nuits. Son arrière-grand-père avait connu Wartje, l'orfèvre magicien, qui pouvait et osait tout faire. Il avait raconté les exploits de Wartje à son fils, qui les avait transmis à son fils et celui-ci, à son tour, les avait racontés à Imp. Cette nuit-là, les petites filles fatiguées d'avoir tant joué, s'assirent aux pieds de leur père pour l'écouter avec de grands yeux rêveurs. Et Imp commença :

– Vous ai-je déjà raconté comment Wartje rapporta aux elfes de Thaïa l'or et les pierres précieuses qu'un dragon leur avait volés ?

– Oui, je m'en souviens.

– Et aussi comment, pour une petite fille d'humains qui se mourait, il alla cueillir l'herbe de vie dans une île de Sibérie, au beau milieu d'un lac gardé par un féroce dinosaure ?

– Oui.

– Et aussi comment, au cours d'un orage, il glissa de sur le dos d'une orfraie, tomba au beau milieu du lac ensorcelé de Warnas et fut ramené à terre par une carpe aveugle ?

– Oui.

– Et comment les trolls le firent prisonnier ?

– Non.

– Alors, allons-y. Wartje se querellait souvent avec les trolls. Comme il était toujours plus malin qu'eux, ceux-ci lui en voulaient à mort. Vous vous souvenez sûrement que Wartje avait trois maisons : une en Pologne, une dans les Ardennes et une en Norvège, afin de pouvoir exécuter toutes les commandes qu'on lui passait. Lorsqu'il se trouvait en Norvège, il avait des difficultés sans fin avec des trolls jaloux. Wartje voyageait monté sur un grand renard, plus rapide que le vent. Grâce à ce moyen de

transport, il mettait moins d'une nuit pour se rendre
d'une maison à l'autre, avec sa femme et tous
leurs bagages. A son retour en Norvège, les trolls
creusèrent un trou le long d'un sentier de montagne
que Wartje empruntait souvent. Lorsque le gnome
et son renard y parvinrent, après une longue
et fatigante nuit de voyage, ils étaient l'un
et l'autre affamés.

« Arrivé au trou, le renard flaira soudain une si forte odeur de souris qu'il s'y précipita la tête la première. De leurs doigts dégoûtants, les trolls avaient écrasé toute une famille de souris et en avaient barbouillé les parois du trou.

« Sans même s'en rendre compte, Wartje et le renard se trouvèrent pris au piège. Wartje était sans doute bien fatigué pour ne pas s'être douté de quelque chose, mais il n'y avait plus rien à faire. Par des couloirs souterrains, les trolls les emmenèrent dans leur tanière et enfermèrent Wartje derrière les barreaux d'un terrier latéral. Le renard fut attaché à une chaîne rouillée.

« – Maintenant, c'est pour nous que tu vas faire du beau travail, dirent-ils à Wartje, et plus jamais nous ne te lâcherons.

« Chaque jour, ils lui passaient entre les barreaux un bloc d'or volé et lui ordonnaient :

« – Tu en feras un bracelet, ou une bague, ou une chaîne. Tu n'auras pas la moindre bouchée de pain avant que ce travail soit fini. Pour sa part, le renard recevait un os déjà rongé, quand ce n'était pas un coup de pied en guise de nourriture.

« Wartje était bien obligé de leur obéir, car il ne voyait aucune chance de s'échapper, ni de libérer son pauvre renard.

« Les trolls portaient bracelets, chaînes, bagues à leurs bras difformes, leur cou et leurs doigts boudinés ; ils dansaient de joie parmi leurs excréments et les reliefs de leurs repas jusqu'à ce que la sueur ruisselle. Et la tanière empestait encore plus que d'habitude.

« Wartje ayant disparu depuis déjà quinze jours, sa petite femme Lisa, commença à s'inquiéter. Il

arrivait souvent que Wartje s'absente plusieurs jours, mais, cette fois, c'était excessif. Une nuit, elle partit à sa recherche, ce qui était très courageux de sa part. A tous les animaux qu'elle rencontrait, elle demandait s'ils n'avaient pas de nouvelles de son mari, mais aucun d'eux ne savait rien.

Finalement, au pied des montagnes, elle s'adressa à un rat qui avait fui le repaire des trolls à cause de sa puanteur insupportable, même pour un rat.

« – Non seulement tu n'arriveras jamais à l'en sortir, dit le rat, mais ils te feront également prisonnière. Je ne puis te donner qu'une seule indication : la clé de la tanière latérale est cachée dans la troisième fente du mur, au-delà de la cheminée. La porte extérieure n'a qu'un loquet, mais il est placé trop haut pour toi.

« Il commençait à faire jour. Heureusement, Lisa trouva un abri dans les rochers, pour y passer la journée et réfléchir tranquillement. Vers le soir, elle avait dressé un plan. Elle se dirigea à toute allure vers une maison et revint quelques heures plus tard avec des tuiles, des œufs pourris et quelques crottes du diable *(asa foetida)* une sorte de résine dont les trolls sont fous. Mais ils n'arrivent jamais à s'en procurer parce qu'on en trouve seulement en Asie. C'est surtout pour son odeur insupportable qu'ils

l'apprécient. Wartje en avait un jour rapporté un sac plein pour un fermier qui avait une toux glaireuse et des crampes abdominales, car c'est un excellent remède pour ce genre de maux.

« Lisa se déguisa en sorcière, avec un long bonnet pointu enfilé sur son autre bonnet et une cape noire. Sur un plateau rocheux, non loin de la caverne des trolls, elle fit un petit feu de bois et mit son pot dessus. Portée par le vent, la puanteur pénétrait dans la tanière des trolls et, bientôt, deux trolls arrivèrent en se dandinant. Guidés par leur odorat, ils rejoignirent la petite femme.

« Qu'est-ce qui se passe ici ? demandèrent-ils, méfiants mais quelque peu impressionnés par la sorcière.

« – Rien de spécial, nobles sires, dit Lisa. Je ne suis qu'une pauvre sorcière de passage et je prépare mon humble repas du soir.

« – Hum, grognèrent les trolls d'un air gourmand, ça ne sent pas mauvais.

« – Voulez-vous goûter ? dit Lisa. Rien qu'une bouchée pour chacun, s'il vous plaît, car je n'ai que ce petit pot.

« Les trolls en prirent une bouchée chacun. Jamais ils n'avaient rien mangé d'aussi bon.

« – Je vois que cette nourriture simple vous plaît, dit Lisa. Comme la chance veut que je sois

« – Bien. Venez donc tout de suite après le coucher du soleil. Vous pouvez laisser votre feu s'éteindre car je vous préparerai de quoi manger pour trois jours. Moi, je serai déjà partie, car j'ai affaire dans le voisinage.

« Et en effet, le lendemain soir, les trolls trouvèrent cinq rations d'œufs, de haricots et de crottes du diable ainsi qu'une grande casserole pleine de nourriture qui leur suffirait pendant encore trois jours.

« Alors qu'ils étaient tous les cinq en train de s'empiffrer, la petite femme grimpa jusqu'à l'entrée de leur cheminée et se laissa glisser comme une flèche jusqu'en bas. Les trolls paresseux avaient bien laissé mourir le feu. Lisa se précipita vers la troisième fente du mur, prit la clé et délivra Wartje. A l'aide de son marteau d'orfèvre, celui-ci libéra le renard, sur le dos duquel il se hissa pour soulever le loquet de la porte extérieure.

« Après quoi, ils prirent la fuite, mais le renard, ankylosé par sa longue immobilité, n'avançait pas très vite. Heureusement, après avoir absorbé leurs cinq rations, les trolls, incapables de dominer leur gourmandise, avaient encore englouti tout ce qui restait dans la casserole.

« Ils rentrèrent chez eux en rotant bruyamment et, quand ils découvrirent la fuite de leurs prisonniers, ils jurèrent tant qu'ils purent, mais ils avaient perdu tant de temps et avaient le ventre si lourd qu'ils n'essayèrent même pas de poursuivre les fugitifs.

« – Et maintenant, vous autres, allez vous coucher ! » dit Imp à ses filles.

Dans la maison des gnomes, propre comme un sou neuf, les petites filles furent bordées dans l'alcôve. Leur maman découvrit à la dernière minute qu'elles avaient caché sous les couvertures un jeune mulot ; celui-ci fut remis dans sa corbeille.

Sous l'effet du vent glacial qui soufflait dans les hautes branches, les grosses racines du chêne qui entouraient la maison frémissaient doucement mais, dans les profondeurs, on était bien au chaud, en famille et en sécurité. A l'abri des trolls en tout cas !

encore ici demain, revenez avec votre famille. Sur combien de personnes puis-je compter ?

« – Cinq, dirent les trolls qui, la langue empreinte de ce goût céleste, étaient encore plus bêtes que d'habitude.

Boîte à musique incorporée dans le coffre de mariée, agrandie quatre fois

La Musique des Gnomes

Quand s'ouvre le couvercle du coffre de mariée, une boîte à musique se met à jouer. Le gnome accorde une grande attention à la fabrication de ces boîtes, aussi sont-elles d'excellente qualité, comme celles de nos ancêtres. Dans la plupart des maisons, leur mélodie accompagne une petite épopée consacrée au gnome légendaire Thym, qui vécut entre 1300 et 1700.

le Troll Clou

bois !

la petite fille d'Uppsala

le gnome légendaire Thym

La Chanson de Clou

1. Dis-moi Con-nais tu le grand troll Clou A la tê-te pleine de poux ?
4. (La) main de Clou devint com - me bois –. Le bon gnome Tim fit cela

2. Il a vo - lé une fille à Uppsa - la Puis fit la fête, holà !
5. Puis a con - duit la fille à Uppsa - la On lui fit fête, holà !

3. A lors sur vint le bon gnome Tim Qui lui fit ren - dre sa victime La

Quand ils vont aux toilettes, les gnomes n'ont pas
l'habitude de fermer la porte avec un crochet ou
un verrou, mais ils indiquent que c'est « occupé » par
une petite mélodie de boîte à musique, que déclenche
à leur entrée un dispositif secret. Les mots de la
chanson ne sont pas prononcés, mais on suppose qu'ils
sont connus de tous. Dans plusieurs maisons de
gnomes, ils figurent calligraphiés et encadrés, à côté
de la porte du *buen retiro*. Souvent, les membres
de la famille accompagnent la musique en fredonnant.

Tandis que la mélodie de la
boîte à musique s'achève
et recommence sans cesse,
le gnome ne perd pas son
temps. Au cours des années, cet
endroit a été décoré d'objets
divers tels que des portraits
gravés, des jouets d'enfants,
des ustensiles ménagers ornés
de motifs décoratifs, etc.

Ne Pas Déranger

ET maintenant, je m'en vais te parler de Tomte Haroldson, aujourd'hui âgé de trois cent quatre-vingt-dix-sept ans. Il habite aux Pays-Bas, à Vlasakkers près d'Amersfoort.

Par une soirée glaciale, nous étions en train de terminer ce livre. Nous avions rempli exactement le nombre de pages que l'éditeur nous avait accordées et voici que, vers minuit, Tomte vint nous trouver à l'improviste, chose qu'il n'avait encore jamais faite. Ni porte ni fenêtre n'étaient ouvertes à cause du froid, mais cela ne l'avait apparemment pas gêné. Il nous salua d'un ton calme, un peu lointain mais amical et, comme d'habitude, il vint s'asseoir sur notre table de travail. Sans doute savait-il que nous étions au terme de nos travaux et venait-il vérifier comment les choses allaient, ce qui augmenta encore notre satisfaction. Nous lui offrîmes avec plaisir un peu de vin de fruits dans une coupelle de gland et une noix de cajou coupée en trois. Il but une gorgée, tourna d'un air pensif la coupelle entre ses doigts, jeta un regard autour de lui et demanda :

– Alors, ça marche ?

– Et comment ! Nous avons presque fini !

– Et vous êtes contents du résultat ?

– On peut toujours faire mieux, évidemment, répondîmes-nous d'un air hypocrite.

– Mais enfin, vous trouvez que c'est réussi ?

– Bien sûr, pourquoi pas ?

– Vous permettez que je vois ce que ça donne ?

Nous posâmes devant lui les grosses liasses de dessins et de textes et lui montrâmes tout, depuis le début. Sans un mot, il regardait une page après l'autre, nous arrêtant parfois quand il voulait étudier avec attention une phrase ou une image, et mâchonnant d'un air pensif sa noix de cajou. Son silence devenait si oppressant que nous nous regardions de temps à autre d'un air désolé.

A une heure et demie du matin, son examen était terminé. Depuis la première page, il n'avait ouvert la bouche que pour y fourrer des noix. Notre incertitude allait croissant. On aurait entendu voler une mouche.

Tomte nous tendit sa coupelle de gland, qui fut aussitôt remplie. Pensif, il sonda du regard son vin de fruits, le flaira puis montra la pile de feuillets et dit :

– C'est le livre tout entier, ça ?

– Enfin, à peu près, répondîmes-nous très vite, nous devons encore le fignoler et le compléter ici ou là ; mais, cela dit, nous avions l'impression que c'était un ensemble assez complet.

Il nous regarda l'un après l'autre d'un œil pénétrant, comme ont l'habitude de faire les gnomes.

– Dois-je comprendre que, pour la première fois dans l'histoire, la vie et les œuvres de mon peuple se trouvent entièrement relatées ici ?

– Oui, c'est à peu près cela. Une extraordinaire autorité émanait du petit bonhomme, bien qu'il ne se fût même pas levé. Mais c'est là une autre qualité qu'on retrouve souvent chez les gnomes. Tomte hocha la tête et vida sa coupelle d'un coup.

– Voilà donc ce que nous avions à vous dire, ajouta-t-il devant la fenêtre fixant d'un œil rêveur les ténèbres de la nuit. J'espérais mieux.

– Comment mieux ? que faut-il encore ajouter ? damandâmes-nous, inquiets. Notre entrain avait disparu depuis longtemps. Tomte lui-même semblait mal à l'aise.

Il serra les mains entre ses genoux et dit sans nous regarder :

– C'est tout à fait charmant, les dessins sont superbes, les histoires excellentes, mais il manque... une chose, une chose que vous n'avez pas comprise. Et cela paraît impensable qu'elle ne figure pas dans un livre comme celui-ci. Attendez, je vais vous montrer quelque chose.

D'un bond il sauta sur le sol, partit en courant et revint au bout d'une minute avec un livre à reliure de cuir.

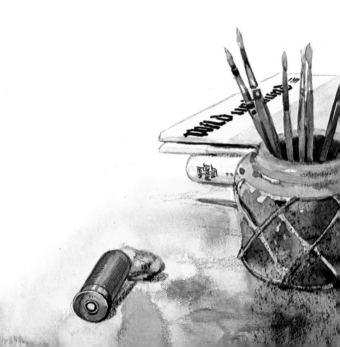

– Mon livre de raison, dit-il négligemment, je l'avais caché avant d'entrer.

Il s'assit de nouveau sur la table, chaussa ses petites lunettes et ouvrit le livre un peu après le milieu.

– Nous ne consignons pas seulement ici nos affaires de famille, dit-il en nous faisant un clin d'œil. Si vous prenez cette loupe vous pourrez lire avec moi car, dès le début, j'ai tout noté dans votre langue.

Reprenant son sérieux, il nous montra la date et l'année qui figuraient en haut d'une page.

– Je ne vous citerai que quelques exemples. Premièrement : le guet. Reconnaissez-vous cette date ?

En silence, nous hochâmes affirmativement la tête. C'était la première année de notre enquête sur les gnomes, alors que nous croyions encore les observer en secret. Tomte tourna la page. Alors apparut une petite carte de la Bretagne, où tous nos postes d'observation et nos huttes de camouflage étaient numérotés. Tomte nous regarda par-dessus ses lunettes.

– Y en avait-il d'autres ?

– Non.

Cela datait de plusieurs années déjà, mais nous nous en souvenions comme si c'était hier.

– Regardez, voici les chiffres : cette année-là nous fûmes espionnés trois cent douze fois.

Nous nous regardions, stupéfaits.

– Et vous pensiez que nous ne nous en étions pas doutés ? Voyons, mes amis, avec ces grands pieds, vous ne pouvez tout de même pas espérer passer inaperçus à travers la vie privée des gens ! nous entendions même vos ricanements étouffés.

Il continuait à feuilleter le livre, mais, à vrai dire, c'était superflu. Les gnomes nous avaient épiés, bien plus que nous-mêmes ne l'avions fait. C'en était humiliant.

– Bon, remarquâmes-nous consternés, cela, c'était au début, mais ensuite, nous avons été autorisés à circuler librement.

Un peu gêné, Tomte se mit à rire.

– Voilà pourquoi je suis venu ce soir. Nous en arrivons au second point : notre déception. Nous avons compris l'image que vous vouliez donner de nous : celle de personnages habiles, astucieux, pleins de ressources techniques, et aussi doués d'humour. Tout cela était inoffensif, vous étiez de bonne foi et nous vous avons laissés faire. Puisqu'ils tiennent tant à faire notre portrait, nous disions-nous, entrons dans leur jeu. Peut-être, avec le temps, auront-ils assez d'esprit pour ne pas s'en tenir aux apparences.

Quant à nous, nous commencions à comprendre où il voulait en venir. En effet, nous n'avions jamais cherché à aller plus loin que les apparences. De nouveau, il se mit à rire.

– Mais cela ne pouvait pas continuer, ou plutôt disons que cela ne pouvait pas finir de cette manière. Nous nous étions pris d'affection pour vous, et voilà pourquoi, cette nuit, on m'a envoyé ici.

Il y eut un long silence. En dépit de notre fatuité, nous commencions à entrevoir vaguement que nous n'en étions encore qu'au début de notre étude sur les gnomes.

– Nous aurions trouvé dommage que vous envoyiez le livre tel quel à l'éditeur, je veux dire avant que nous n'ayons eu une dernière conversation. Car nous en arrivons maintenant au troisième point : l'équilibre. Commençons par le commencement : nous sommes tous originaires de la terre et de l'univers, vous le dites d'ailleurs vous-mêmes : Tu es poussière et poussière tu reviendras, donc nous retournerons à la terre et à l'univers. Mais, pour notre part, et contrairement à vous, nous restons fidèles à nos origines.

Notre alliance avec la terre repose sur une harmonie, la vôtre sur l'exploitation des matières vivantes et inanimées.

– Cela ne vaut pas pour tout le monde, protestâmes-nous.

– Heureusement pas. Mais, dans son ensemble, l'humanité laisse derrière elle un long sillage de ravages et d'abus.

– Croyez-vous que les gnomes ne détruisent jamais l'équilibre naturel ?

– Non. L'homme se lance dans une course effrénée après le monde de demain et, presque toujours, c'est la nature qui en fait les frais. Le gnome a trouvé le calme dans le monde d'hier et se contente de ce que celui-ci offre. Cela ne changera pas plus que ne changera le saumon qui, depuis des milliers d'années, remonte du milieu des océans et retrouve la rivière qui l'a vu naître (à moins que son eau ne soit trop polluée) ou l'abeille qui désigne aux ouvrières de la ruche du pollen à butiner situé à cinq kilomètres de distance, ou encore le pigeon voyageur qui se dirige infailliblement vers une destination éloignée de plusieurs milliers de kilomètres.

– Il s'agit là d'instinct. Ne croyez-vous pas que c'est hors du sujet ?

– Pas du tout. Et cela nous mène droit au quatrième point. Nous avons su équilibrer nos instincts avec notre raison ; vous avez usé de votre raison pour réduire au silence vos instincts. Et, par là, vous avez inauguré le règne de la déraison. Ne parlons pas de la magie, tout cela est déjà bien assez compliqué pour aujourd'hui.

– Mais enfin, nous sommes des hommes, nous. Notre esprit cherche à aller toujours plus loin, nous sommes ainsi faits. L'instinct ne saurait nous suffire, car il n'est pas assez sûr.

– S'il n'est pas assez sûr, c'est parce que vous le mettez sous cloche. Donnez-moi encore un peu de vin.

– Mais un grand nombre de gens aspirent depuis longtemps à rétablir la nature dans toute sa gloire, et à remettre l'instinct à l'honneur.

– Voilà pourquoi il faut procéder comme suit : réhabiliter l'instinct, rétablir l'équilibre naturel et se détourner de la conquête de la puissance.

– Qu'est-ce qui te fait dire cela ?

– Le fait que tous les maux terrestres naissent de la volonté de puissance, vous le savez aussi bien que moi ! Je ne parle pas de l'autorité, ce qui est tout autre chose.

– Vous n'avez donc jamais cherché à détenir le pouvoir ?

– Non. Nous avons renoncé à tous les principes du pouvoir politique.

– Évidemment, dans la société des gnomes, les choses sont bien plus simples : votre voisin le plus proche habite à un demi-kilomètre ou à un kilomètre de chez vous.

– Bien sûr. Mais cela n'enlève rien au principe fondamental.

– En outre, vous n'avez pas de problèmes de surpopulation, alors c'est facile à dire, tout ça.

– La surpopulation est une question qui doit se régler d'un commun accord, et c'est ce que nous avons fait.

– Est-ce que tous ces éléments font partie de l'harmonie parfaite à laquelle les gnomes sont parvenus ?

– Oui.

Ici, nos chemins se séparaient. Ses certitudes étaient supérieures aux nôtres mais il n'était qu'un gnome, après tout. Néanmoins, à sa manière, il avait raison. Les gnomes ne font pas fausse route, leur univers est harmonieux et stable.

Tels que nous étions assis là, deux lignes se croisaient ; l'une venait de toute la hauteur d'un mètre quatre-vingts et descendait à quinze centimètres. L'autre partait de quatre cents ans de réflexion et aboutissait à quatre-vingts ans de science infuse. On pourrait objecter que l'univers des gnomes est monotone. Mais il faut alors se représenter la rencontre d'un grand cerf à la noble ramure dans un bois désert. Cela non plus n'a pas changé depuis des siècles et, pourtant chacun voudrait le voir et le revoir.

Les mains croisées derrière le dos, Tomte faisait les cent pas sur la table.

– Cinquième point : il ne faut pas croire que nous méprisons la civilisation humaine, en dépit des énormes pertes qu'elle a infligées à la nature. Nous en apprécions les apports positifs, mais un véritable abîme sépare votre conception du progrès de la nôtre. Devant les bêtises et les vilenies dont vous vous rendez coupables, nous ne pouvons que hocher la tête. J'en ai réuni un certain nombre d'exemples.

Il reprit le livre, le feuilleta encore, puis le referma d'un coup sec et fit glisser ses lunettes dans sa poche.

– Aujourd'hui, il est trop tard, dit-il, j'ai encore quelques petites choses à faire avant le lever du soleil.

En effet, la nuit était déjà très avancée.

– Demain soir, à dix heures et demie, dit Tomte. D'un air joyeux, il nous montra du doigt. Regardez-moi la tête qu'ils font ! Allons, vous n'allez pas vous laisser décourager ?

Il tapota la pile de feuillets.

– Je vous jure que ce sera un très beau livre et au besoin, nous vous donnerons un coup de main. Ajoutez un dernier chapitre, pour me faire plaisir et intitulez-le :

HOCHEMENTS DE TÊTE DES GNOMES

Et il disparut.

Les Hochements de Tête des Gnomes

ASSIS dans un fauteuil de poupée, le lendemain soir, avec le livre sur les genoux, Tomte dit : même si un abîme sépare votre conception du progrès de la nôtre, nous suivons le vôtre à distance. Prenez l'exemple de Rembrandt Harmenszoon van Rijn, 1606-1669. Mon frère, Olie, l'a bien connu, car il habitait sous un tilleul, dans le jardin d'une vieille maison des quais, à Amsterdam. Il sait même où se trouve encore un tableau de Rembrandt, dans le grenier de l'une de ces maisons, mais c'est d'autre chose que je voudrais vous parler. Olie a passé bien des soirées dans un coin sombre de l'atelier, où il dessinait en compagnie du maître. Il secouait la tête devant la bêtise et l'avarice de ses mécènes, devant la déchéance et la misère du grand peintre à la fin de sa vie. Il avait vu naître, par petites touches, *La Ronde de nuit,* ce chef-d'œuvre de 4,30 mètres sur 3,65 mètres, devant lequel aujourd'hui vous vous extasiez tous. En secouant la tête et le cœur déchiré, il a vu raccourcir le tableau des quatre côtés à la scie lorsque, après la mort de Rembrandt, il fut transporté de la maison des archers à l'hôtel de ville, dont deux portes étaient trop étroites pour qu'il pût passer intact.

Et vous, humains, qu'avez-vous fait au sujet du bon Dr Semmelweis en 1865 ? Croyez-vous que nous ignorons ? Ce que nous savions depuis des centaines d'années, cet homme l'a découvert : qu'un accouchement doit être pratiqué avec des mains propres. Ses adversaires l'ont tout bonnement torturé jusqu'à la mort.

Tomte repoussa ses petites lunettes sur son front et nous regarda. Voilà ce que je voulais vous dire hier soir.

— Oui, mais cela nous le savions aussi. L'histoire regorge de pareilles stupidités. Nous aussi, cela nous fait secouer la tête.

Tomte laissa retomber ses lunettes et tourna encore quelques pages.

— On dirait que vous ne savez pas reconnaître un grand homme de son vivant, surtout quand il s'agit d'un artiste.

— C'est parce que certains artistes créent des œuvres pour lesquelles personne n'est encore mûr, à part un petit cercle de familiers. Elles ne sont comprises qu'une ou deux générations plus tard.

— Et, entre-temps, l'artiste est mort dans l'oubli. Souvenez-vous de l'un de vos plus illustres compositeurs. Je tiens l'histoire de Tim Friedel. Le petit Tim est un gnome rêveur qui, en 1791, a quitté Vienne à la suite d'un grand chagrin ; il a émigré dans une maison de troglodyte, aux environs de Bad-Ischl où il vit encore aujourd'hui. Eh bien ! s'il n'y a jamais eu parmi les gnomes un Mozart, capable de faire jaillir chez ses semblables des larmes de ravissement, nous nous demandons si cet homme ne méritait pas un enterrement plus digne de lui. Les entretiens de Mozart avec Tim sont notés dans un petit livre pour lequel vous payeriez très cher, vous autres historiens. Tim arrivait toujours à tirer Mozart de ses humeurs les plus sombres. Il suffisait qu'il lui demande de lui donner une leçon sur son petit violon pour que Mozart éclate de rire et lui consacre des heures précieuses.

Et, les larmes aux yeux, le petit Tim dévoué avait affronté la lumière du jour et suivi sous la pluie et la neige, le 6 décembre 1791, le pauvre cortège funèbre (11 Florins et 56 Kreuzer). A la porte du cimetière, comme tout le monde rebroussait chemin à cause du mauvais temps, le gnome Tim fut le seul mortel à suivre le corps et voir, en secouant la tête, un fossoyeur jeter littéralement le cercueil dans la fosse des pauvres avant de courir s'abriter.

Tomte referma le livre, en y glissant l'index pour marquer la page.

– Pour nous, c'est incompréhensible, dit-il.

– Pour nous aussi. Mais vous, les gnomes, vous n'enterrez jamais personne !

– Aussi nous n'en avons pas fait une cérémonie. Les nôtres, nous les laissons partir tout tranquillement.

Il ouvrit le livre à la page suivante :

– D'ailleurs, les désastres que vous avez provoqués chez les plantes et les animaux sont tout bonnement indescriptibles. Si le bison, l'élan, l'ours brun et le loup ont à peu près disparu de nos régions, c'est surtout par la faute des changements de climat. En revanche, l'extermination du castor est inexcusable. Le dernier castor fut tué d'un coup de fusil à Zalk, au bord de l'Ijssel en 1827. Nous perdîmes en lui un ami cher avec qui nous entretenions les meilleures relations. Il nous livrait spontanément une graisse d'une qualité rare. Et si, avec votre trafic et vos poisons, vous exterminez la grenouille verte, le crapaud au ventre jaune et d'autres espèces voisines, ne croyez pas que cela se limite à la disparition de quelques petites bêtes. Non, vous avez troublé des équilibres profonds qu'il faudra des dizaines d'années de travail pour rétablir, sans parler du tort que nous ont fait tous vos poisons. Je ne veux même pas faire allusion à la grande misère des oiseaux de proie et à leurs œufs rendus stériles par les produits chimiques. Vous autres hommes, vous êtes devenus le pôle opposé de la nature, que dis-je, ses ennemis.

Ici, sur 1300 espèces de plantes, 700 sont en danger ; la feuille charnue n'existe pratiquement plus. Sans parler du saumon, de l'esturgeon, de l'alose, tous poissons de rivière aujourd'hui disparus ; les trois quarts des hommes ne savent même pas qu'ils ont jamais existé. Si le ciel vous a destinés à être les seigneurs et maîtres de la création, ce n'est pas une raison pour vous conduire comme des bêtes, bien qu'une bête s'y prendrait avec plus de délicatesse.

– Je vous assure que cela nous désole tout autant que vous !

– Je sais, je sais. Je suis un vieux grincheux. Mais je pense aussi à une autre détestable habitude, celle qui consiste à lancer les chats et les chiens dans les bois, par la portière de la voiture. Je crois que les gens qui le font partent en vacances, comme vous dites. Cela fend le cœur de voir ces malheureux mourir d'angoisse et de faim. Quand l'un ou l'autre d'entre eux survit, il devient un maraudeur et un danger public.

Nous répondîmes alors en haussant les épaules :

– Ces gens-là sont de vrais voyous qui n'auraient jamais dû avoir le droit d'adopter un animal domestique. Mais hélas ! ce n'est pas défendu par la loi.

Tomte hocha la tête, reprit le livre et feuilleta les pages qui restaient :

– On y trouve encore bien d'autres détails sur les ravages de notre bel univers. Arrêtons-nous là, car cela risquerait de vous ennuyer. Une dernière chose pourtant, parce que cela trouble souvent notre tranquillité : cessez donc de faire la guerre. Il ne se passe pas vingt-cinq ans sans qu'une guerre éclate quelque part sur la terre.

Quant au nombre de gens qui ont péri au nom du Tout-Puissant, c'est par millions qu'il faudrait les chiffrer. Et voilà, c'est fini.

« Maintenant, allons-nous promener tous les trois ; après toutes ces années de rude labeur, je vous réserve une petite récompense.

Dehors, la pleine lune était montée d'une large main au-dessus de l'horizon. La cime des arbres se détachait nettement sur un ciel sans nuage. Un silence de mort régnait, traversé par le grondement lointain d'un train.

Nous prîmes un sentier qui allait vers le sud-est. Bien que l'un et l'autre habitués de la région, au bout de cinq minutes, nous ne savions plus où nous étions. Mais Tomte nous précédait d'un pas sûr et nous n'avions qu'à le suivre.

Avons-nous marché une heure ? Deux heures ? Vingt-quatre heures ? Avec la meilleure volonté, il nous serait impossible de nous en souvenir. Cela ne ressemblait pas à une promenade avec un but précis, mais plutôt à un vagabondage ordonné. Le temps s'était arrêté, la nature nous enveloppait chaudement. Nous n'avions plus de poids, nous n'avions plus d'âge, nous savions tout ce qui avait été oublié. Pour cette nuit-là, Tomte nous avait dotés de tous les dons des gnomes. Nous avons rencontré un renard ;

curieux, il s'est arrêté et il nous a flairés sans crainte. Une biche pleine nous permit de lui gratter la tête entre les oreilles et de caresser son épaisse toison d'hiver. Une hase nous montra fièrement sa première portée de l'année. Les lapins n'arrêtaient pas leurs jeux pour nous. Nous avons parlé aux sangliers et à une martre.

Un hibou est venu nous interroger. Nous avons regardé deux blaireaux qui folâtraient éperdument. Nous entendions le souffle des arbres, le chuchotement des buissons, le murmure de la mousse ; nous écoutions les histoires mystérieuses des siècles passés, nous communiions avec chaque cellule vivante sur terre, nous explorions toutes les dimensions, notre âme connaissait l'équilibre et la paix.

Comme la lune pâlissait à l'horizon, nous avons achevé un voyage hors du possible dans une obscurité légère et pourtant mystérieuse. Tomte leva la main et nous nous arrêtâmes, tandis qu'il gravissait une colline.

   — Telle est la nature si on lui est fidèle, dit-il.
Mes meilleurs vœux. *Slitzweitz.*

     Lentement, il poursuivit son ascension. Notre
cœur était plein de nostalgie.

     Près d'un vieux sapin, il se retourna et, de
nouveau, leva la main, en guise d'adieu cette fois.
Il hocha légèrement la tête avec un petit sourire
puis disparut sur l'autre versant de la colline.

     Tout s'effaça, comme une vieille chanson qui
s'arrête brusquement. Nous n'étions plus que de
simples mortels. Le jour pointait et le soleil n'allait pas
tarder à se lever.

     A cet instant, nous comprîmes où nous nous
trouvions : c'était au champ de lin, à moins d'une
demi-heure de la maison.

Achevé d'imprimer en août 1988
sur les presses de Neue Stalling à Oldenburg

Imprimé en Allemagne